बारूद के ढेर पर बैठा इन्सान

बारूद के ढेर पर बैठा इन्सान

लेखक

अजीत सिंह सागर

GenNext Publication

बारूद के ढेर पर बैठा इन्सान

ISBN: 978-93-8022-257-8

मूल्य 290/–

भारत में सन् 2015 में प्रकाशित

जेनेक्स्ट पब्लिकेशन,

5, अंसारी रोड, दरियागंज

नई दिल्ली– 110002

फोन :– 9811692060

ई–मेलः– gennext@hotmail.com

टंकण कार्यः Print 'O' Soul Graphic

मुद्रित :– जी. प्रिंटर्स, दिल्ली

बारूद के ढेर पर बैठा इन्सान

यह कहानी एक सामान्य सेउ परिवेश में घटित होती है, कहानी में एक देश की नहीं पूरी दुनिया की एक विकराल समस्या को मुद्दा बनाया गया है, एक ऐसी समस्या, एक ऐसा डर, जो हमारे दिलों में बैठा है, वह डर है, महाविध्वंशक परमाणु हथियारों का डर, बड़े गौरव और शान से बनाये गये ये हथियार, इंसान तो क्या पूरी धरा का विनाश पल भर में करने के लिए काफी हैं और अगर हम सब यह सोचे बैठे हैं कि ये महाविध्वंशक परमाणु हथियार हमारी सुरक्षा के लिए हैं, तब फिर थोड़ा ध्यान दीजिए कि किस तरह सुरक्षा के नाम पर प्रथम विश्व युद्ध के दौरान अमेरिका ने 6 अगस्त, 1945 और 9 अगस्त, 1945 को जापान के दो बड़े शहरों, नागासाकी और हिरोशिमा पर परमाणु हमला किया था, जिसमें दोनों शहर पूरी तरह से तबाह हो गए थे, जिसका खामियाजा बेचारे जापानी लोग आज तक भुगत रहे हैं, इन महाविध्वंशक परमाणु हथियारों के बल पर हम अपनी सुरक्षा की गारंटी लेते हैं, कितने मूर्ख हैं हम जो यह भी समझ नहीं पा रहे हैं कि ये हथियार इस दुनिया में तबाही के सिवा कुछ नहीं कर पायेंगें, आज हम-सब एक-दूसरे से भयभीत हैं और अपनी सुरक्षा समझकर अन्धाधुन्द महाविध्वंशक परमाणु हथियारों का निर्माण कर अपने ही विनाश का सामान खुद इकट्ठा करते जा रहे हैं, कितने मतलबी और स्वार्थी हैं हम, जो जानवरों की तरह आपस में लड़ते हैं और इस लड़ाई में हिरोशिमा, नागासाकी जैसे भयानक विनाश से भी नहीं डरते और इस महाविनाश के बाद भी हमने कुछ नहीं सीखा, आए दिन हम भयानक से भयानक महाविध्वंशक हथियारों को बढ़ाते जा रहे हैं, क्या इसके लिए हममें थोड़ी-सी भी समझ बाकी है, हम शायद वो इंसान ही नहीं रहे, जिसे भगवान ने इस दुनिया में सबसे ज्यादा बुद्धिमान बनाया था, बारूद के ढेर पर बैठा इंसान खुद को सुरक्षित समझ बैठा है, यह उसकी सबसे बड़ी नादानी है।

जब से हमने महाविध्वंशक हथियार बनाये हैं, तब से हमारे अन्दर आपस में लड़ने की प्रवृत्ति बढ़ती चली गयी, हम उन हथियारों के बल पर तैयार हो गये एक-दूसरे से लड़ने के लिये, और अपनी इस लड़ाई में उन अनगिनत मासूमों को मौत की नींद सुला दिया, ऐसे बेकसूर जो ठीक से अभी चलना भी नहीं सीखे थे, और वो जिन्होंने अभी तक इस जालिम दुनिया को देखा तक नहीं, उन मासूमों का इन लड़ाईयों से भला क्या लेना देना होगा, वास्तव में नफरत और स्वार्थ की जंग में मानव इतना पागल हो गया था कि उसने इंसान तो इंसान, बेजुबान पशु-पक्षियों तक का विनाश कर दिया। अगर हम समय रहते समझ जाते तो इतने बड़े-बड़े महाविनाशों को रोका जा सकता था, आज हम सबकी यही सोच है कि वो ये विनाश का सामान अपनी सुरक्षा और दूसरे का विनाश करने के लिये बना रहा है, अब जब सभी एक दूसरे के प्रति यही सोच रखेंगे तो फिर जब आपस में युद्ध होगा फिर कौन बचेगा? एक-दूसरे को नष्ट करने वाले मानव को अंत में यह काल खुद ही निगल जायेगा। आज हमसब एक-दूसरे को झूठी शान दिखा रहे हैं, हमारे पास चाहे खाने को रोटी नहीं है, पहनने को कपड़े नहीं हैं, सर छुपाने को छत तक नहीं, लेकिन दूसरे का नाश करने का असलहा ढेरों है और यह असलहा हमने मासूमों के हाथ की रोटी बेचकर इकट्ठा किया है और इस बात की हममें होड़-सी लगी रहती है कि किस पर कितना मौत का सामान है, हमें उससे आगे निकलना है, हम इन घातक हथियारों को नष्ट करना तो दूर की बात, इन सब पर थोड़े-से भी चिंतित दिखाई नहीं देते, क्या यही हमारी जिम्मेदारी है कि हम अपने बच्चों को बारूद पर सोने के लिये छोड़ दें, आज मैंने दुनिया भर की मुसीबतें झेलकर, इतने सालों की कड़ी मेहनत के बाद एक महाविध्वंशक फायर अटैक बम बना लिया, यह तो मैंने अपने ही विनाश का सामान खुद ही तैयार कर लिया, फिर मैं बुद्धिमान कैसे हो गया? मैं तो उस महामूर्ख से भी बदतर हूँ जो जिस डाल पर बैठा था उसी को काट रहा था। हम भूकम्प, ज्वालामुखी, सुनामी जैसी विनाशक आपदाओं से पहले ही परेशान थे, ऊपर से हमने अपने विनाश का उससे भी बड़ा सामान बना डाला, हमारी बहादुरी तो

इसमें थी कि हम इन प्राकृतिक आपदाओं को रोकने का कोई हथियार बना पाते।

जिस वैज्ञानिक ने इन धातक हथियारों का आविष्कार कर पहली बार विनाशक हथियार बनाये, उन्हें कम से कम एक बार तो यह जरूर सोचना चाहिए था कि इन महाविनाशक हथियारों से दुनिया का क्या हस्र होगा, दुनिया में इनके बलबूते केवल विनाश ही सम्भव है, क्या हम इन हथियारों के बल पर अपनी और अपनी आने वाली पीढ़ी की सुरक्षा कर पायेंगे? हमने सुरक्षा के नाम पर अपने आविष्कार का गलत उपयोग किया और जब एक आविष्कार केवल विनाश के लिये ही बनाया गया हो, तब फिर उसका क्या सदुपयोग और क्या दुरूपयोग?

इस कहानी के नायक ने भी अपनी हर चीज दांव पर लगाकर एक परमाणु हथियार से भी ज्यादा महाविध्वंशक फायर अटैक बम तैयार कर लिया, हर मुसीबत का सामना किया, सिर्फ इस भरोसे कि तब इस महाविध्वंशक फायर अटैक बम से देश-दुनिया की सुरक्षा की जा सकेगी, लेकिन यह नायक का भ्रम था, जब नायक को समझ में आया कि यह जो महाविध्वंशक फायर अटैक बम जो उसने बनाया है, वो केवल दुनिया का विनाश ही कर सकता है, उसके बाद तो नायक की दुनिया ही बदल गयी। अगस्त का वह दिन, उस दिन मुझे किये गये अपराधों का हिसाब-किताब देना था, जिसका मुझे अंदेशा था वही हुआ। मुझे जेल के एक बंदी रक्षक ने बताया कि भारतीय सरकार ने मुझे अगले हफ्ते फाँसी की सजा देना तय किया है, यहीं जहाँ मैं एक साल से कैद हूँ, यह वही जेल है जहाँ देश-दुनिया के खतरनाक मुजरिमों को रखा जाता, मैं भी दुनिया की नजरों में कोई छोटा अपराधी नहीं हूँ, मैंने इस दुनिया के लिये जो अपराध किया है उसका अंजाम इससे कम नहीं हो सकता है। फाँसी की सजा के बारे में सुनकर मैं चौका नहीं, लेकिन इस नादान दुनिया के भविष्य के बारे में सोचकर बुत बनकर बैठ गया, मुझे पहले से ही इस बात की शंका थी कि मुझे इस अपराध की फाँसी से कम सजा ना मिलेगी, मुझे दुनिया में कोई पहली बार यह सजा नहीं दी जा रही है, मुझसे पहले भी दुनिया के भविष्य के बारे में सोचने

वाले न जाने कितने लोग यह ईनाम पा चुके हैं, मुझे अपनी मौत का इतना गम नहीं है, जितना इस बात का कि मेरी मौत से भी यह नादान दुनिया कुछ नहीं सीखेगी। यदि मेरी बात को लोग समझ पाते तो मैं एक बार क्या, बार-बार मरने को तैयार हूँ। बंद सलाखों के पीछे मेरी सारी सोच बेकार थी, बस चंद दिन और मैं इसी सोच के साथ तड़प सकता हूँ। अगले दिन मुझे पता चला कि कोई पत्रिका मुझ पर देशद्रोही नाम का लेख लिखना चाहती है, वह पत्रिका सालों से देश के खूंखार मुजरिमों पर लेख लिखती रही है। आज मेरा नम्बर है। जैसे ही पत्रिका की लेखिका जेल के अन्दर मेरे बैरक में आयी, मैं चुपचाप एक कोने में बैठकर अपनी जिन्दगी के कुछ बचे लम्हें गिन रहा था, लेखिका जो सामान्य लंबाई एवं 30 साल की आयु के आसपास रही होंगी, उनके हाथ में कागज-पेन देखने से पहले ही मैंने सोच लिया था कि वह यही लेखिका होंगी, जिनके बारे में मुझे बताया गया है, मुझे मेरे फाँसी पर चढ़ने का कोई अफसोस नहीं है, क्योंकि मौत सभी को एक न एक दिन आनी है, फिर मैं आज मरूँ या कुछ दिन बाद, इससे क्या फर्क पड़ता है। लेखिका मेरे सामने आकर एक कपड़ा जमीन पर बिछाकर बैठ गयी, हम दोनों पर कुछ दूर खड़े दो सिपाही निगरानी कर रहे थे, हमारे व्यवहार के बारे में वे नोटिस भी कर रहे थे। तभी लेखिका ने मुझसे सवाल किया कि मैंने यह जुल्म क्या सोचकर किये? मुझे यह सब करते हुए कुछ भी पछतावा नहीं हुआ? क्या मुझे अपने भाई-बहनों पर बिल्कुल भी तरस नहीं आया? लेखिका के ये सवाल मुझे मेरे जख्मों पर नमक लगाने का कार्य कर रहे थे, मैं चुप था लेकिन लेखिका बार-बार इसी तरह के सवाल पूछकर मेरी चुप्पी तोड़ना चाहती थी, अब तक मैंने वास्तविक घटना किसी को नहीं बताई थी, कि मेरे कौन-कौन से अपराध थे, मैंने मन में सोचा कि कल सुबह मुझे फाँसी लगा दी जायेगी, यह सही मौका है अपनी बात बताने का, कम-से-कम किसी को तो मेरी बात समझ आयेगी? यही सोचकर मैंने लेखिका को अपने जीवन की सारी महत्वपूर्ण बात बताने के बारे में सोच लिया, क्योंकि भविष्य में अब इसके बाद किसी से ये बातें बताने का समय मेरे पास

नहीं होगा, लेखिका ने एक बार फिर वही सवाल किया कि तुमने ऐसा करने से पहले अपने भाई-बहनों के बारे में तनिक भी नहीं सोचा? यह सवाल सुनकर मेरी आँखों में आँसू आ गये, एक बार मैं चुप रहकर बोला कि मैंने अपने एक-दो बहन-भाइयों के लिये नहीं बल्कि करोड़ों-अरबों बहन-भाइयों के बारे में सोचा था, मैंने इस पूरी दुनिया के बारे में सोचा, अगर मैंने नहीं सोचा होता तो आज अकेला मैं फाँसी पर चढ़ रहा हूँ वरना अनगिनत मासूमों का विनाश हो जाता, देश क्या दुनिया तबाह हो जाती, मैं अगर इन सब के बारे में नहीं सोचता तब मुझे मान-सम्मान, माल-पैसा सब मिलता, आज मुझे इनके बारे में सोचने की क्या खूब कीमत मिली है। लेखिका ने मेरी बात ध्यान से सुनी, वो कहने लगी कि मुझे तुम्हारी बातों में कुछ सच्चाई नजर आ रही है, कृपया तुम पूरी बात मुझे शुरू से बताओ ताकि मैं दुनिया के सामने तुम्हारी बात रख सकूँ। मैंने उसे बताना शुरू किया कि मेरा परिवार एक गरीब तंगहाल जिन्दगी जी रहा था, मेरे परिवार में मुझसे छोटी दो बहनें और मेरी माँ हैं, पिताजी की मृत्यु के बाद घर की सारी जिम्मेदारी माँ के कन्धों पर आ गयी थी, माँ जैसे-तैसे दूसरों के घर झाड़ू-पोंछा लगाकर, सिलाई-बुनाई करके हम भाई-बहनों का पेट पालती थी, मेरी माँ भी उन्हीं लाखों माताओं में से एक थी, जो खुद भूखी रहकर अपने बच्चों का पेट भरती है। माँ ने हम तीनों भाई-बहनों को पढ़ा-लिखाकर अफसर बनाने के ख्वाब देख रखे थे, हम तीनों भाई-बहन नजदीक के एक सरकारी स्कूल में पढ़ने जाया करते थे, मैं हमेशा से माँ की सोच से कुछ ज्यादा करना चाहता था, कुछ बड़ा बनना चाहता था, कुछ ऐसा करना चाहता था जो दुनिया में अभी तक किसी ने न किया हो, कुछ ऐसा जिसपर मेरी माँ, मेरा परिवार, पूरा देश नाज कर सके। यही सोच लेकर जिन्दगी आगे बढ़ती रही, लेकिन अभी तक मैं यह तय नहीं कर पाया था कि वास्तव में मुझे क्या करना चाहिए। हमारी इतनी हैसियत नहीं थी कि हम अपने निजी मकान में रह सकें, जिस मकान में हम लोग रह रहे थे, वह किराये का था, पंडित गोपाल दास जी अपने परिवार के साथ दिल्ली में रह रहे थे, उन्हीं का यह मकान चंदौसी जिला मुरादाबाद में

खाली पड़ा था, जो कुछ साल पहले मेरे पिताजी ने किराये पर पंडित गोपाल दास जी से ले लिया था। हमारे पड़ोस में मि० शुक्ला जी अपने परिवार के साथ रहते थे, उनके घर एक टेलीविजन था जिसे देखने मैं अकसर जाया करता था। मेरी उम्र उस समय 12-13 वर्ष रही होगी, मिसेज शुक्ला मुझे अपने घर देखकर गुस्से से उबल जाती थीं, उन्हें मेरा उनके घर जाना अच्छा नहीं लगता था, क्योंकि उन्हें लगता था कि एक गरीब का अमीर के घर जाने से, अमीर के घर का फर्श खराब हो जायेगा, उसके घर की बरकत चली जायेगी, कभी-कभी मुझे मिसेज शुक्ला की बातें गलत भी लगती थीं लेकिन बचपन की बुद्धि और टेलीविजन देखने की लालसा के कारण मैं खुद को रोक नहीं पाता था। एक दिन टेलीविजन पर कार्यक्रम आ रहा था, जिसमें दिखा रहे थे कि दुनिया में कितने परमाणु हथियार हैं, कौन परमाणु हथियारों में नं० वन है, मैं यह कार्यक्रम बड़े ध्यान से देखने लगा, कार्यक्रम में यह भी बता रहे थे कि दुनिया में इन परमाणु हथियारों को बनाने में किन-किन वैज्ञानिकों का नाम है और उन्हें क्या-क्या पुरस्कार और मान-सम्मान मिला है। परमाणु हथियार बनाने वाले ये वैज्ञानिक देश की शान, देश का गौरव हैं। मुझे टीवी में यह सब देखकर बड़ी खुशी का एहसास हो रहा था लेकिन जब उन्होंने भारत की परमाणु शक्ति के बारे में बताया, तब मैं हैरान रह गया, हमारा भारत देश परमाणु हथियारों में तमाम देशों से पीछे है, यहाँ तक कि हमसे कई गुना छोटा पाकिस्तान भी हमसे परमाणु हथियारों में कहीं आगे है। बस यहीं से मेरे अन्दर यह भावना पैदा हो गयी कि क्यों न मैं किसी ऐसे परमाणु हथियार को बनाऊँ, जो दुनिया में किसी भी देश के पास न हो, जिसकी मारक क्षमता दुनिया के सारे परमाणु हथियारों से ज्यादा सिर्फ एक महाविनाशक हथियार में हो जिसे देखकर दुनिया दंग रह जाये और मैं इसका निर्माण कर अपने देश भारत को सौंप दूँ जिससे हमारा देश महाविध्वंशक हथियारों में पूरी दुनिया से ज्यादा ताकतवर हो जाये।

लगन और कठिन परिश्रम के सामने कोई भी काम असम्भव नहीं होता, मैंने भी तुरंत मन में शपथ ली कि जब तक दुनिया का सबसे बड़ा

विनाशक हथियार बनाकर अपने देश को नहीं सौंपूंगा चैन से नहीं बैठूंगा। इस सोच के साथ दिन बीतने लगे, मैं किताबों एवं टीवी के माध्यम से विनाशक हथियारों के निर्माण सम्बन्धी जानकारी लेता था। हथियारों से जुड़े वैज्ञानिकों के बारे में जानकारी लेना भी जरूरी हो रहा था। मैंने पढ़ाई में विज्ञान विषय चुना ताकि मैं अपने उद्देश्य को पूरा कर सकूं। इसी कोशिश में मेरी आयु 23 वर्ष हो गई थी, मैं माँ के जुड़े पैसे एवं स्कालरशिप की वजह से पढ़ाई कर रहा था, माँ अब मुझसे साफ-साफ कहती थी कि तेरी दोनों बहनें शादी लायक हो गई हैं, कहीं कोई नौकरी कर ले, इनकी शादी बिना तेरे नौकरी किये कैसे हो पायेगी, तेरे पिताजी के स्वर्गवास होने के बाद अब तु ही इस जिम्मेदारी को उठायेगा, क्योंकि अब बुढ़ापे में मुझसे कुछ नहीं होता। मैं हमेशा माँ और बहनों को समझाता कि जल्द ही मैं ऐसा कुछ करने वाला हूँ, जिससे दुनिया मुझ पर गर्व करेगी, चारों तरफ हमारी वाहवाही और सम्मान होगा, लेकिन मैं सिर्फ एक छोटी-सी नौकरी के लिये अपनी जिन्दगी खराब नहीं करना चाहता, मैं इस देश के लिये कुछ करना चाहता हूँ, कृपया मुझे यह सब करने से तुम लोग मत रोको, मैंने माँ और अपनी दोनों बहनों से कहा- मेरे कुछ दोस्त भी आये दिन यही कहते थे कि तुम हमेशा पढ़ाई में लगे रहते हो, प्रयोगशाला में पड़े रहते हो, किसी से बात करने की फुरसत नहीं है तुम्हें, आखिर तुम करना क्या चाहते हो। मैंने कभी किसी को भी अपने विनाशक हथियार बनाने के बारे में नहीं बताया और यदि मैं यह बात किसी को बता भी देता तो वह मेरी हँसी उड़ाता, मैं यह सब कर रहा हूँ, यह सुनकर लोग इसे पागलपन कहते, इन सब बातों के बीच एक इन्सान ऐसा भी था जो मेरे काम को थोड़ा गम्भीरता से लेता था, उसका नाम रवि था, जो नया-नया मेरा दोस्त था। वह एक सामान्य परिवार का लड़का था। उसके विचार मेरे विचारों से मेल खाते थे, मैंने रवि को अपने बारे में एवं अपने विनाशक हथियार के बारे में बता दिया था, केवल रवि ही एक ऐसा लड़का था, जो इस प्रयोग के बारे में मुझ पर भरोसा करता था, वह मेरी लगन को देखकर मेरे प्रयोग में शामिल होने की बात करता था, क्योंकि वह भी दुनिया में नाम और पैसा कमाना

चाहता था। कई बार रवि के आग्रह करने पर आखिरकार मैंने एक शर्त पर उसे अपने साथ प्रयोग में शमिल होने की हामी भर दी कि वह पूरी लगन के साथ प्रयोग में मेरी मदद करेगा और प्रयोग की बात का ढिंडोरा नहीं पीटेगा, मैंने जब रवि से प्रयोग में शामिल होने की बात कही तब वह खुशी से झूम गया। उसका चेहरा खुशी के मारे लाल हो गया था, उसे जैसे अपनी मंजिल तक पहुँचने की सीढ़ी मिल गयी हो। अब हम दोनों लोग एक साथ प्रयोग का अध्ययन करने लगे थे लेकिन मंजिल अभी तक हमें नहीं मिल रही थी, विद्यालय की प्रयोगशाला में हम खुलकर प्रयोग नहीं कर पा रहे थे, कुछ सीनियर लड़कों ने रैगिंग के नाम पर जूनियर का पढ़ना-लिखना दुश्वार कर रखा था, ऐसे माहौल में एक बड़ा प्रयोग क्या, छोटा-सा काम होना भी मुश्किल लग रहा था, मेरी और मेरे नये दोस्त रवि की इतनी हैसियत नहीं थी कि हम वह कॉलेज छोड़कर किसी दूसरे कॉलेज में दाखिला ले पाते और अगर हम किसी दूसरे कॉलेज में जाते भी तब जब वहाँ भी ऐसा ही माहौल होता जैसा यहाँ का है। पूरा देश एक जैसा है, इसलिये हम सब सहकर चुनौतियों का सामना कर रहे थे क्योंकि मेरा मानना था कि जितनी बड़ी सफलता होती है, उतनी ही बड़ी चुनौतियाँ हमारे सामने आती हैं, यही सोचकर मैं अपने दोस्त के साथ प्रयोग में आगे बढ़ता रहा। रविवार की एक शाम थी, मैंने उस दिन, दिन भर छोटे-मोटे काम निपटाये थे, बड़ी मुश्किल से शाम को बाजार जाने का मौका मिला था। मुझे बाजार से कुछ जरूरी सामान कुछ कैमिकल्स बगैरह खरीदने थे, मैं मार्केट में रात के 10 बजे तक सामान खरीद पाया था, इतनी रात में अब तक सारे टैम्पो-ऑटो बन्द हो चुके थे क्योंकि यह शहर इतना बड़ा नहीं था कि जिसमें पूरी रात ट्रैफिक चल पाता, मैं अकेला ही उस सुनसान रोड पर पैदल अपने घर की तरफ बढ़ रहा था, मेरे दोनों हाथों में सामान से भरे थैले थे, अचानक मुझे रोड के दूसरे तरफ से किसी लड़की के कराहने की आवाज आ रही थी, मैं तुरन्त उस तरफ गया, मैंने देखा कि एक लड़की वहीं पड़ी कराह रही थी, उसका चेहरा उस काली रात में भी चाँदनी बिखेर रहा था, एक नजर उसे देखकर मैं घबरा गया कि कहीं

मैं फंस ना जाऊँ, क्योंकि वह लड़की वहाँ बिल्कुल अकेली थी, उसके कई जगह खरोचें लगी थीं, मैं डर की वजह से वहाँ से जाने लगा, यह सोचकर कि इस घायल लड़की की मदद के लिये पुलिस है, मैं क्यों इसके चक्कर में पड़ूँ। कहीं पुलिस ने झूठा मुकदमा मुझ पर लगा दिया तो मेरे प्रयोग का क्या होगा लेकिन इस सब सोच के ऊपर मेरे दिल की भावना यह कह रही थी, जब हमने कोई गलत नहीं किया तब इस लड़की की थोड़ी-सी मदद करने में क्या जायेगा, और भगवान जी तो सब देख ही रहे हैं। यही सोचकर मैंने अपना सामान जो मेरे हाथों में था वहीं रखा और एक बोतल खाली करके मैं पास ही खड़े सरकारी नल की तरफ बढ़ा। मैंने जल्दी से उस खाली बोतल में पानी भरा और उस लड़की के पास आकर उसके चेहरे पर पानी की छीटें लगते ही एक क्षण को वह होश में आयी, फिर बेहोश हो गयी। मैंने तुरन्त ही सरकारी एम्बुलेंस को फोन करना चाहा, लेकिन उनका नम्बर लग नहीं रहा था। मैंने समय बरबाद न करते हुये तुरन्त अपने दोस्त रवि को फोन पर उस घायल लड़की के बारे में बताया और रवि को मदद के लिये तुरन्त कोई ऑटो या टैम्पो लाने को कहा, रवि ने जबाब दिया कि वह तुरन्त कोई साधन लेकर आ रहा है, मैं सोच रहा था कि इस लड़की को यदि मैं हॉस्पिटल ले जाऊँ तब वहाँ भी पुलिस आ सकती है, यदि अपने घर ले जाऊँ तब मेरी दो बहनें और माँ कहीं मुझे गलत न समझ बैठे, इसलिये मुझे इस लड़की को कहीं ऐसी जगह ले जाना होगा जहाँ इस लड़की का इलाज भी कराया जा सके और लोग हमें देखकर गलत न सोचें। तभी मेरे दिमाग में विचार आया कि रवि का कमरा खाली रहता है और वहाँ आसपास कोई रहता भी नहीं है, उससे बेहतर जगह कहीं नहीं होगी। मैं यह सोच ही रहा था कि इतने में एक टैम्पो की आवाज सुनाई दी। उस टैम्पो में रवि था, हमने तुरन्त उस लड़की को टैम्पो की सीट पर लिटा दिया और थोड़ी देर में हम रवि के कमरे में पहुँच गये, रवि के कमरे में एक तखत पड़ा था, हमने उस लड़की को उस तखत पर लिटा दिया। मेरे दोस्त रवि ने मुझे बताया कि उसकी जान-पहचान का एक डॉक्टर है, जो नजदीक के मोहल्ले में रहता है,

वह यहाँ आकर इस लड़की का इलाज कर सकता है। यह सुनते ही मैंने रवि को उस डॉक्टर को बुला लाने को कहा, रवि तुरन्त ही उस डॉक्टर को बुला लाया। वह डॉक्टर हम लोगों को शक भरी निगाहों से देख रहा था, शायद वह यह सोच रहा होगा कि कहीं हम दोनों ने उस मासूम लड़की के साथ कुछ गलत तो नहीं किया है, डॉक्टर ने उस लड़की की तरफ देखा और उसके माथे पर लगी चोट की पट्टी कर दी और होश में लाने का शायद एक इंजेक्शन भी लगाया, वह रवि का परिचित था, इसलिये रवि को कमरे से बाहर बुलाकर उससे कुछ बातें करने लगा। रवि तुरन्त उस डॉक्टर को छोड़ने उसके घर चला गया। मैं बेचैन था, उस लड़की को इस हालत में देखकर मुझे बहुत बुरा लग रहा था। जैसे मैं इस लड़की को एक–दो घन्टों से नहीं, सदियों से जानता हूँ, मैं बेहोश पड़ी उस लड़की को देखे ही जा रहा था, कभी–कभी मेरा दिल सोचता कि यह लड़की अभी उठकर मुझसे मीठी–मीठी बातें करना शुरू कर देगी। मैं यह सब सोच ही रहा था कि रवि वहाँ डॉक्टर को छोड़कर आ गया, मैंने रवि से पूछा कि डॉक्टर तुमसे क्या कह रहा था। रवि ने उत्तर दिया कि वह डॉक्टर इस लड़की की चोट के बारे में बता रहा था। वह कह रहा था कि इस लड़की के सिर में किसी ने हल्का पत्थर मारा है और सुबह तक यह लड़की होश में आ जायेगी। मैंने रवि को सो जाने को कहा, वह तुरन्त मेरा कहा मानकर उसी अकेले कमरे के एक कोने में चुपचाप सो गया, क्योंकि इसी उठा–पटक में आधी रात बीत चुकी थी, मगर मुझे पता नहीं क्यों नींद नहीं आ रही थी। मेरा दिल बस यह कह रहा था कि बेहोश पड़ी उस लड़की को मैं देखता ही रहूँ और पता नहीं उसे देखते–देखते कब सुबह हो गयी, मेरे दोस्त रवि ने मुझे जोर से हिलाया, मैं अभी तक उस लड़की को देख ही रहा था, मैंने रवि से अपने दिल की बात छुपाते हुये एवं चौंककर कहा, सुबह हो गई है क्या, रवि ने कहा कि तुम जल्दी से नहा–धो लो, उसके बाद हम इस लड़की के घरवालों को फोन करके बुला लेंगे और इस लड़की को उनके साथ भेज देंगे, शायद रवि ने उस लड़की के पर्स में ढूढकर कोई नम्बर देख लिया होगा, और उसी नम्बर से वह फोन करना चाह

रहा था। आखिरकार वही हुआ जिसे मेरा दिल मना कर रहा था, रवि ने उस लड़की के घरवालों को फोन करके बुला लिया, मैं पता नहीं क्यों सोच रहा था कि यह लड़की वहां से कहीं न जायें, हमेशा मेरी नजरों के सामने रहे। जैसा मैं सोच रहा था ठीक उसका उल्टा होने वाला था, मैंने देखा कि मोटर साईकिल पर दो लोग हमारे वाले कमरे के सामने आकर रूके, दोनों लगभग एक उम्र के लग रहे थे, दोनों के चेहरे पर हल्की दाढ़ी-मूछें थीं, दोनों में एस पहनावे का ही अन्तर लग रहा था जिसमें एक ने पैन्ट-शर्ट एवं दूसरे ने कुर्ता-पायजामा पहन रखा था। दोनों दरवाजे पर अपनी मोटर साईकिल खड़ी करके मेरी तरफ बढ़ने लगे, क्योंकि मैं दरवाजे पर खड़ा था। दोनों में से पैन्ट-शर्ट वाला जिसकी उम्र लगभग 50 बरस रही होगी, आगे चल रहा था, मेरे पास आकर कड़क आवाज में बोला, रवि तुम्हारा नाम है? मैंने उस आदमी को जबाब दिया कि क्या बात है, मैं रवि का दोस्त हूँ, रवि ने क्या किया है मुझे बताइये, उस आदमी ने मेरी तरफ अपनी लाल आँखें दिखाते हुये कहा कि चोर-चोर मौसेरे भाई, मैं समझ गया कि ये शायद इस घायल लड़की के परिजन होंगे लेकिन हमने तो उस घायल लड़की की मदद की है, धन्यवाद देने की बजाय ये लोग गाली क्यों दे रहे हैं। इतने में मेरा दोस्त रवि बाथरूम से स्नान करके आ गया, मैंने उस पैन्ट-शर्ट वाले आदमी से कहा कि यह है रवि मेरा दोस्त, इतना सुनते ही उस पैन्ट-शर्ट वाले आदमी ने रवि का गलेबान पकड़कर पीछे को धक्का दिया और पूछा- कहाँ है, मेरी होने वाली बीबी, उस आदमी की इतनी बात सुनकर जैसे मुझे बिजली का शॉट लग गया हो, उस आदमी के इतना कहने मात्र से ही मुझे अन्दाजा हो गया कि यह इस लड़की के पिता की उम्र के बराबर है। रवि को जैसे ही उस लड़की के मंगेतर ने ध क्का दिया, रवि पीठ के बल पास में रखे बर्तनों के ऊपर गिरा, बर्तनों की तेज आवाज के कारण वह बेहोश पड़ी लड़की होश में आ गयी, उस लड़की के मंगेतर का ध्यान रवि से हटकर एक कोने में तखत पर बैठी उस लड़की पर गया, वह होश में आने के बाद तखत पर उठकर बैठ गयी थी और हम सबको देख रही थी, उसे वहाँ बैठा देख दूसरा

बूढ़ा आदमी जो कुर्ता-पायजामा पहने हुआ था, उसके पास जाकर बोला– तुम ठीक तो हो मेरी बेटी, तुम्हारे साथ कहीं कुछ गलत तो नहीं हुआ है? नहीं पिताजी, उस लड़की ने जबाब दिया, मैंने पहली बार उसकी यह आवाज सुनी थी, मेरी समझ में यह भी आ चुका था कि यह कुर्ता-पायजामा वाला बूढ़ा आदमी इस लड़की का बाप है। तभी उस लड़की के मंगेतर ने घूरते हुये पूछा कि तुम लोगों ने मेरी बीबी के साथ कुछ गलत किया है, तुम्हे मदद करने के लिये एक लड़की ही मिली थी? मैं जानता हूँ, तुम्हारे जैसे नीच लड़के जो लड़कियों को मदद करने के नाम पर उठा लेते हैं और उनका शोषण करते हैं, तुम भी उनमें से एक हो। मैं और मेरा दोस्त रवि चुपचाप उस लड़की के मंगेतर की भली-बुरी सुन रहे थे, हम चाहते तो उस आदमी को मार-तोड़कर उसके घर भेज देते, लेकिन इससे बात बढ़ सकती थी, मेरी माँ-बहनें ये सब सुनतीं तो उन्हें मेरे बारे में गलतफहमी हो जाती, इसलिये हम दोनों दोस्त चुपचाप उस लड़की के मंगेतर की सुनते रहे। एक बार फिर उस लड़की के मंगेतर ने रवि को छोड़कर मेरा गरेबान पकड़कर कहा कि क्या किया है तुम दोनों ने मेरी बीबी के साथ। तभी तखत पर बैठी वो लड़की जोर से उस आदमी पर (मंगेतर पर) चिल्लाई कि कुछ नहीं हुआ है। यह कहते ही उस लड़की का मंगेतर उस लड़की की तरफ देखने लगा, लड़की ने अपने मंगेतर का हाथ पकड़ा और वहाँ से चलने का इशारा किया। तभी वह लड़की अपने पिताजी एवं मंगेतर के साथ वहाँ से जाने लगी, वो जाते जाते मेरी तरफ देख रही थी, उसकी आँखों में बहुत-सी उलझनें मुझे दिखाई दे रही थी, लग रहा था कि वो मुझसे कोई मदद मांग रही हो, जब तक वो मुझे दिखाई दी, वो मेरी तरफ ही देखती जा रही थी, तभी एक क्षण में उसकी मोटर साईकिल मेरी आँखों से ओझल हो गयी।

मैं सोचने लगा कि इस लड़की का होने वाला पति इतना बूढ़ा है और बूढ़ा होने के बावजूद इतना बुरा व्यवहार करता है, जरूर यह लड़की किसी बड़ी मुसीबत में है, मुझे उस लड़की के बारे में और जानना चाहिये ताकि मैं उसे उस मुसीबत से निकाल सकूँ।

मेरे मन में कुछ गलत-गलत बातें भी आ रही थीं कि मैंने उस मजबूर लड़की को उन दोनों लोगों के साथ भेजा ही क्यों, मुझे उस लड़की को कोई वास्ता देकर रोक लेना चाहिये था, उस लड़की के चले जाने के तुरंत बाद ही मुझे अकेलापन महसूस हो रहा था। ऐसा लग रहा था जैसे वो लड़की हमेशा से मेरे साथ थी और आज बिना बताये कहीं चली गयी हो। इतना सब हो गया, मैं, बस उस लड़की के बारे में सोचता ही रह गया, मुझसे इतना तक नहीं हुआ कि उस लड़की का नाम भी पूछ लेता, मुझे शायद उस लड़की से बात करने की हिम्मत न हो सकी, इस लड़की के लिये ये भावनायें शायद मेरा उसकी तरफ लगाव होने का इशारा कर रही थी, रवि मुझे सामने से खड़ा होकर देखकर रहा था, रवि को लग रहा था कि जब से वह लड़की हमें मिली है तब से मेरा ध्यान उस लड़की के जाने के बाद भी उसकी तरफ से नहीं हट रहा है। मैंने रवि का ध्यान अपनी तरफ से हटाने के लिये उससे कहा- अरे भाई रवि आज कोचिंग के लिये नहीं चलना है क्या, लेकिन रवि मेरी तरफ घूर रहा था, रवि ने घूरते हुये मुझसे कहा कि हां चलना तो है, अगर आपको फुरसत हो गई हो तो। मैं चुपचाप उसकी बात सुनकर कॉपी-किताब उठाकर कोचिंग के लिये रवि के साथ चल पड़ा। मैं समझ गया था कि रवि को मेरे दिल की बात पता लग गयी है और वो मेरी इस दिल की भावना को लेकर परेशान था कि मैं उस लड़की को पसंद करने लगा था, मैं समझता हूँ कि रवि मेरी उस लड़की के लिये होने वाली चाहत से इतना परेशान नहीं था, जितना इस बात को लेकर कि हम लोग बहुत बड़ा प्रयोग कर रहे हैं और ऐसे में किसी लड़की से लगाव होना, मतलब प्रयोग मिट्टी में मिल जायेगा। मैं अपने दोस्त रवि की इस भावना की इज्जत करता था कि उसकी सोच कितनी अच्छी थी लेकिन मैं अपने दिल को कैसे समझाता, जिसे लगती है उसे ही पता चलता है। हम दोनों अपने कॉलेज के साइंस टीचर से कोचिंग ले रहे थे, हमारे टीचर हमें रसायन विज्ञान के बारे में जानकारी देते थे, कई साल से हम अपने रसायन विज्ञान के अध्यापक मि॰ अग्रवाल जी से रसायन विज्ञान विषय में कोचिंग ले रहे थे, मि॰ अग्रवाल

मुझे और रवि को घर के सदस्यों जैसा मानते थे, साथ ही वे हम दोनों को विद्यालय का सबसे होनहार विद्यार्थी भी कहते थे। उस समय मैं अपने दोस्त रवि के कमरे में रवि के साथ रह रहा था। समय निकालकर मैं अपने घर भी जाया करता था। माँ अकसर कहती थी कि तू कौन-सी ऐसी पढ़ाई कर रहा है जोकि रोज घर भी नहीं आ सकता, मैं चुपचाप माँ की बात सुन लेता था और मन में सोचता जिस दिन मेरा प्रयोग सफल होगा, लोग वाहवाही करेंगे तब तुम्हें पता चलेगा कि मैं कौन-सी पढ़ाई कर रहा हूँ। मेरे घर और रवि वाले कमरे के बीच की दूरी लगभग 10 किलोमीटर होगी, मैं रोज यह दूरी दौड़कर तय करता था, दौड़ने से पूरे दिन का व्यायाम भी हो जाता था और टैम्पो के पैसे भी बच जाते थे। रविवार का दिन था, सुबह के करीब 11 बजे थे, मैं रवि के कमरे में था, मैं और रवि उस समय रासायनिक अभिक्रिया की तैयारी कर रहे थे। विद्यालय की छुट्टी थी, तभी मेरे मोबाइल पर माँ का फोन आया, वह बहुत खुश लग रही थी। मैंने पूछा—माँ तुमने किसलिये फोन किया है। माँ ने जबाव दिया कि तेरे लिये एक खुशखबरी है, जिससे हमारी जिन्दगी बदल जायेगी। इतने दिन से हम दुख झेलते आ रहे हैं, आज भगवान ने हमारी सुन ली। मैंने माँ को रोककर पूछा कि माँ तुम यह घुमा-घुमा कर बात मत करो, आखिर बात क्या है, मुझे बताओ। माँ ने जबाव दिया कि तू तुरन्त घर आ जा, जब तू घर आयेगा तब सारी बात तुझे खुद पता चल जायेगी, तू बस इतना समझ ले कि अब हमारे दुख के दिन बीत गये। इतना कहकर माँ ने फोन काट दिया। मैंने रवि से कहा कि माँ ने किसी काम के लिये मुझे घर बुलाया है, तुम यह रासायनिक अभिक्रिया जारी रखना, मैं कुछ देर में वापस आता हूँ, मैं रवि से इतना कहकर घर की तरफ चल पड़ा, मैं रास्ते में यह सोच रहा था कि माँ फोन पर इतनी खुश दिखाई दे रही थी, ऐसा कौन-सा खजाना माँ को मिल गया जिसकी वजह से माँ आज पहली बार इतनी खुश लग रही थी। जैसे ही मैं घर के पास पहुँचा, मैंने देखा हमारे घर के सामने एक लम्बी चमचमाती काले रंग की मर्शरीज खड़ी थी। मैं उस गाड़ी को देखकर हैरान था, सोचा कि ये पता नहीं किसकी

गाड़ी होगी। उस गाड़ी के पास में वर्दी पहने उस गाड़ी का ड्राइवर ने मुझे हाथ जोड़कर नमस्ते किया मैं अचम्भे में था। जैसे ही घर के अन्दर घुसा मैंने देखा कि घर में मेहमान आ चुके हैं, मगर हमारे तो किसी भी रिश्तेदार का नामो निशान तक इस दुनिया में नहीं था, और अगर कोई वह रिश्तेदार बचा भी होगा तो क्या वो इतना रहीस होगा, उन दोनों मेहमानों में एक 60 साल का बुड्ढा आदमी था, जो बहुत अच्छे कपड़े पहने था, दूसरी मेहमान उसकी बेटी जैसी लग रही थी जिसकी उम्र 25 वर्ष रही होगी उसने भी अच्छे कपड़े पहन रखे थे, ये दोनों मेहमान बाहर बारामदे में कुर्सी पर बैठे थे इन दोनों मेहमानों के सामने माँ बैठी थी और मेरी दोनों बहनें किचन में कुछ बना रही थीं। मैं जैसे ही उनके सामने गया मैंने सबको नमस्कार कहा, मुझसे उस बूढ़े आदमी ने बैठने को कहा, मैं *थैंक्यू* कहकर पास पड़ी कुर्सी पर बैठ गया तभी माँ ने उस बूढ़े आदमी से कहा कि यह है हमारा लड़का सूरज। तभी उस बूढ़े आदमी ने मुझसे पूछा कि सूरज तुम कौन-सी पढ़ाई कर रहे हो। इस पर मैंने चौंक कर जबाब दिया, जी मैं रसायन विज्ञान में डिप्लोमा कर रहा हूँ। उस बूढ़े के साथ मेरे सामने बैठी वह लड़की मुझे देखे जा रही थी, मैं थोड़ा-थोड़ा समझ रहा था कि वास्तव में माजरा क्या है, तभी उस बूढ़े आदमी ने उस लड़की की तरफ देखा और बाद में माँ की तरफ देखकर माँ से बोला कि हमें यह रिश्ता मंजूर है, मैं समझ गया कि क्या मामला है, मगर इतना बड़ा फैसला लेने से पहले माँ को मुझसे एक बार तो कहना चाहिये था तभी मेरी दोनों बहनें सामने बैठी उस लड़की को किचन में ले गयी, तभी उस बूढ़े आदमी का फोन आया और वह फोन सुनने घर से बाहर की तरफ गया। अब मुझे मौका मिल गया था कि मैं माँ से इस बारे में अकेले में बात कर सकूँ, इसलिये मैंने माँ को दूसरे कमरे में चलने को कहा, माँ मेरे साथ दूसरे कमरे में चली गई लेकिन उनका ध्यान वहाँ से भी बाहर की तरफ था ताकि वो बूढ़ा आदमी फोन करके वहाँ न आ जाये।

मैंने माँ से वहाँ एकान्त में पूछा कि यह सब क्या है, तुम्हें यह सब करने से पहले मुझसे एक बार बात तो करनी चाहिये थी, माँ ने हँस कर

कहा कि सब छोड़, पहले यह बता कि यह लड़की तुझे पसन्द है और पसन्द कैसे नहीं होगी इतनी खूबसूरत जो है, और यह बेचारी तो हमारे घर में देवी बनकर आयी है, देख इस लड़की के आते ही हमारी सारी परेशानियाँ खत्म हो जायेंगी। मैंने माँ को चुपाते हुये कहा कि माँ कौन है यह, पहले इसका जबाब दो, बेटा यह हमारे अन्नदाता हैं, यह जो बूढ़े आदमी हैं इनका नाम पं॰ गोपाल है, जब तू बहुत छोटा था तब तेरे स्वर्गवासी पिताजी ने इनके यहाँ वर्षों तक नौकरी की थी, पं॰ गोपालदास जी, तेरे पिताजी को बिल्कुल घर जैसा मानते थे, तेरे पिताजी के स्वर्गवासी होने के कुछ दिन बाद पं॰ गोपालदास जी अपना चंदौसी मुरादाबाद वाला मकान हमारे लिये छोड़कर खुद अपने परिवार सहित दिल्ली चले गये थे। दिल्ली जाकर पं॰ जी ने खूब बिजनेस किया और आज बहुत पैसे वाले हो गये, पं॰ जी के केवल इकलौती लड़की ही है और पं॰ जी चाहते हैं कि तू उनकी बेटी मीना से शादी कर ले साथ ही उनका सारा बिजनेस तू खुद संभाले क्योंकि पं॰ जी अब बूढ़े हो चुके हैं काम करना उनके बस का नहीं रह गया है, अब तुरन्त तू इस रिश्ते के लिये हामी भर दे मेरे लाल। मैं माँ की बातें सुन रहा था, माँ ने सारे सपने देख लिये थे, मैंने माँ से पूछा कि माँ इन लोगों को मेरे अलावा दुनिया में कोई और लड़का रिश्ते के लिये नहीं मिला, माँ ने मुझे चुपाते हुये कहा कि कितना बेवकूफ है तू, किस्मत खुद चलकर तेरे पास आयी है और तू इस तरह का सवाल कर रहा है? मैंने तेरी कई बार तस्वीर, तेरी होने वाली बीबी मीना को भेजी थी वह तुझे बहुत पसन्द करती है। मीना आये दिन मुझे फोन भी करती थी, पं॰ जी ने भी इस बारे में कई बार फोन पर बात की थी और वह वो अपनी बेटी को लेकर आज आ ही गये। मैंने माँ से सर झुका कर कहा कि माँ तुम जो कह रही हो एकदम ठीक है आपका यह सब कहना भी जायज है, पं॰ गोपालदास जी के भी हम पर तमाम एहसान हैं बल्कि हम उनके मकान में भी रह रहे हैं और सालों से उन्होंने हमसे मकान का किराया तक नही मांगा है मगर माँ मैं यह शादी नहीं कर सकता। माँ को मेरी यह बात सुनकर झटका-सा लगा, माँ ने कहा– पागल हो गया है क्या तू, क्या कमी है इस लड़की में, तुझसे ज्यादा खूबसूरत है, गुणवान है,

पढ़ी-लिखी है और इस लड़की से शादी करके तू राजा बन जायेगा, तेरी दोनों बहनों की शादी आसानी से हो सकेगी, तुझे सौ जन्मों में भी इससे अच्छा रिश्ता न मिल सकेगा और अगर तूने रिश्ते को पंडित जी से मना कर दिया तब जिस मकान में तू रहता है, धक्के मारकर हम सबको इस घर से बाहर कर देंगे, फिर हम फुटपाथ पर तुझे भीख मांगते अच्छे लगेंगे! तुझे हो क्या गया मेरे लाल। मैंने माँ की तरफ देखते हुये कहा– माँ मैं इस देश के लिये कुछ करना चाहता हूँ, इस लड़की से विवाह करने के बाद मैं राजा बन जाऊँगा यह सही है लेकिन मेरी पहचान समाप्त हो जायेगी। मैं दुनिया में अपना नाम करना चाहता हूँ, मैं जो प्रयोग कर रहा हूँ, शादी और बिजनेस हाथ में लेने के बाद वो बिल्कुल समाप्त हो जायेगा। मेरी दोनों बहनों की शादी, तुम्हारी देखभाल, यह मेरी जिम्मेदारी है, माँ मैं यह हर कीमत पर करूंगा, मैंने कई बार तुमसे कहा है कि जल्दी मैं ऐसा आविष्कार करने वाला हूँ, जो दुनिया में हमारे भारत देश को और हमें मान-सम्मान सब कुछ दिलायेगा, बस तुम कुछ समय और इन्तजार कर लो, लेकिन मैं अपना प्रयोग दांव पर लगाकर शादी नहीं कर पाऊँगा, इसके लिये मुझे माफ करना माँ। इतना कहते ही, माँ के आँसू निकल आये, वो रोते हुये बोली–अब मैं किस मुँह से पंड़ित जी से मना कर पाऊँगी, मेरे मना करने पर पंड़ित जी और उनकी लड़की के दिल पर क्या गुजरेगी, तेरी वजह से आज सबका दिल टूट जायेगा, तू बहुत बुरा है रे! माँ की यह बातें सुनकर मुझे भी ग्लानि हो रही थी, मैंने सोचा कि मैं खुद पंडित जी से इस रिश्ते के लिये मना कर देता हूँ, इतने में ही पंडित जी सामने आकर खड़े हो गये, शायद उन्होंने माँ के आँसू और मेरे चेहरे की मायूसी देख ली थी, पंडित जी ने मुझसे पूछा कोई समस्या तो नहीं है बेटा, इतने में ही मेरी दोनों बहनें और पंडित जी की वह लड़की भी वहां आ गये, मैंने दोनों हाथ जोड़कर पंडित गोपालदास जी से कहा कि माफ कीजिये श्रीमान जी, आपकी तरफ से तो सब कुछ बहुत अच्छा है, लेकिन यह हमारी बदकिस्मती है कि हम आपसे यह रिश्ता नहीं जोड़ पायेंगे, इसमें आपकी कोई भी गलती नहीं है, एक बार फिर हमें आप माफ करें।

पंडित जी ने कड़क आवाज में मुझसे कहा कि आखिर तुम यह रिश्ता क्यों करना नहीं चाहते हो और हम लोगों का यहाँ बुलाने का आपका मतलब क्या है, बताइये। मैंने पंडित जी से सर झुकाते हुये जवाब दिया–श्रीमान जी मैं एक विज्ञान का कोर्स कर रहा हूँ जिसकी तैयारियाँ मैं शादी करने के बाद नहीं कर सकता हूँ, मैं यह शादी जरूर कर लेता लेकिन मैं अपने देश के लिये जो कुछ करने चला हूँ, उसकी खातिर मैं यह शादी अभी नहीं कर पाऊँगा। तभी पंडित गोपालदास जी बोले, देखो सूरज बेटा, तुम यह रिश्ता ठुकराकर अपने पैरों पर खुद कुल्हाड़ी मार रहे हो, तुम्हें यह मौका कभी जिन्दगी में न मिलेगा। मैंने पंडित जी को साफ मना कर दिया, यह सब देखकर पंडित जी की लड़की मीना का चेहरा उतर गया था, मेरे मना करने से शायद उसका दिल टूट गया था, उसने भी माँ की तरह जिन्दगी के तमाम खूबसूरत सपने पहले ही देख लिये थे, लेकिन मैं क्या करता मैं मजबूर था। वह लड़की एक बार मेरी तरफ देखकर अपने पिताजी से बोली कि यहाँ से चलिये पिताजी, यहाँ कोई भी हमारा नहीं है, इतना कहकर वह लड़की अपने पिताजी के साथ वहाँ से चली गयी, उसके जाने के बाद मेरी दोनों बहनें और माँ एक कोने में बैठकर रो रही थीं, मैंने वहाँ से रवि के कमरे पर जाने के लिये साईकिल ले ली, थोड़ी ही देर में मैं रवि के रूम पर पहुँच गया। रवि अभी तक वही प्रयोग कर रहा था, जो मैं उसे घर जाने से पहले देकर गया था, मैंने देखा कि दो रसायनों की उस अभिक्रिया से कुछ परिणाम मिलने की सम्भावना है, मैं पिछले कई वर्षों से लगातार यह प्रयास कर रहा था कि इन रसायन अभिक्रियाओं का कोई उपयोग मिले जिससे रासायनिक हथियार बनाया जा सके, मैंने अब तक सूर्य के सम्पर्क में तमाम छोटी–छोटी रासायनिक अभिक्रियाएँ की थी, लेकिन उनका बड़ा फायदा नहीं मिल रहा था, मुझे अपने प्रयोगों को बढ़ाना था, जिसके लिये बड़ी प्रयोगशाला चाहिये थी, मुझे एकान्त चाहिये था, जहाँ कोई भी मुझे परेशान न कर सके, जहां मैं दिन–रात प्रयोग में ध्यान दे सकूँ, इन सबका एक ही तोड़ था कि मेरी एक मध्यम आकार की अपनी खुद की एक प्रयोगशाला होनी चाहिये जहां मैं तेजी

के साथ इस प्रयोग को सफल बना सकूँ। नयी प्रयोगशाला बनाने के लिये लाखों रूपयों की जरूरत थी और मेरे और रवि के पास कानी कोड़ी तक नहीं थी, जिससे नई प्रयोगशाला बनाई जा सके, मैंने रवि से इस बारे में बात की, रवि तुरंत तैयार हो गया, लेकिन जब मैंने उसे प्रयोगशाला में खर्च होने वाली रकम के बारे में बताया तो वह हक्का-बक्का रह गया, हम दोनों लोग सोचने लगे कि हमारे खर्चे लायक प्रयोगशाला बनाने में उसका सामान खरीदने में लाखों रूपये लगेंगे, और वो लाखों रूपये कैसे हमारे पास आयेंगे। तभी रवि ने मुझे खुश होते हुये एक अखबार दिखाया, उस अखबार में सरकार का एक बड़ा विज्ञापन छपा था। उस विज्ञापन में छपा था कि कोई भी देश का पढ़ा-लिखा बेरोजगार किसी भी सरकारी बैंक से रोजगार हेतु ऋण प्राप्त कर सकता है। मैंने जब यह विज्ञापन पढ़ा तो मैं खुशी से झुम उठा, मैं हमारे देश की सरकार का बार-बार मन ही मन धन्यवाद दे रहा था कि सरकार मजबूरों का कितना ख्याल रखती है, मैंने अपने दोस्त रवि को अपने साथ लिया और अगले दिन हम लोग अपने सारे शैक्षिक प्रमाण पत्र लेकर एक सरकारी बैंक पहुँचे, हम दोनों बहुत उत्सुक थे कि अब इस सरकारी योजना के आधार पर हमारे सारे दुख, समस्याएँ दूर हो जायेंगी, जैसे ही हम बैंक के अन्दर घुसे मैंने बैंक को एक मन्दिर स्थल समझ कर प्रणाम किया क्योंकि इसी बैंक के माध्यम से हमारी पेरशानी खत्म होने वाली थी, यह बैंक हमारे लिये किसी मन्दिर से कम नहीं था, हम जैसे ही बैंक के अन्दर गये, हमने एक बैंक कर्मचारी से कहा कि सर हम स्वरोजगार हेतु सरकारी योजना के अन्तर्गत ऋण लेना चाहते हैं, हम इस बारे में किससे बात कर सकते हैं, उस आदमी ने मुझसे कहा कि काउन्टर नं. ऊपर मि. खन्ना से मिलिये, हम खन्नाजी के पास पहुंचे, हमने उन्हें हाथ जोड़कर नमस्कार किया, मि. खन्ना ने मुझसे कहा कि मैं आपकी क्या मदद कर सकता हूँ, मि. खन्ना बैंक के ऋण विभाग में कार्यरत थे, मैंने मि. खन्ना जी से कहा कि हम लोग भारत सरकार की देश व्यापी योजना स्वरोजगार ऋण हेतु आये हैं, कृपया आप हमारे शैक्षिक प्रमाण पत्र लेकर ऋण उपलब्ध करा दीजिये,

हम लोगों को ऋण की बहुत आवश्यकता है। इतना सुनकर मि. खन्ना ने हमारे दस्तावेज (शैक्षिक प्रमाण) देखे और कहा कि तुम लोगों को पाँच लाख तक का ऋण इन कागजों पर मिल जायेगा, लेकिन इसके लिये आपको फाइल चार्ज 20 हजार रूपये एवं आपको अपनी 20 लाख रुपये की प्रोपर्टी के कागज देने होंगे और अगर आपकी खुद की प्रोपर्टी नहीं है तो 20-20 लाख हैसियत वाले दो गारन्टर देने होंगे, इन सब के बिना आपके यह शैक्षिक प्रमाण पत्र बिल्कुल बेकार हैं। मैं भौचक्का-सा रह गया। मैंने मि. खन्ना से कहा कि यदि मेरी 20 लाख रूपये की हैसियत होती तब क्या मैं आपसे यह ऋण माँगने आता और 20-20 लाख हैसियत वाले गारन्टर मेरे परिचित होते तब मैं उनसे ही पैसा लेकर काम चला लेता, इस प्रकार से तो यह सरकारी योजना किसी गरीब का भला कर ही नहीं पायेगी, इसका मतलब तो साफ-साफ यह है कि यह सरकारी योजनायें गरीबों के नाम पर अमीरों को ही मदद कर रही है, जिनको इन योजनाओं की जरूरत होती है उन्हें इनका फायदा नहीं पहुंच पाता और बैंक सरकारी आदेशों पर थूककर गरीबों की बजाय, अमीरों को गरीबों का पैसा बाँटता चला जाता है, जिससे अमीर और अमीर, और गरीब और गरीब होता चला जाता है। मेरी बात सुनकर मि. खन्ना बोले कि तुम कौन हो, यह सब कहने वाले, हम सरकारी आदेशों का पालन करते हैं। मैंने मि. खन्ना से कहा कि यदि सरकार के पास जरूरतमंदों पर खर्च करने के लिये कुछ नहीं है तब हमें यह सर्टिफिकेट क्यों दिये जाते हैं, ऐसी लुभावनी योजनाओं का क्या फायदा है और क्या कीमत है हमारे शैक्षिक प्रमाण पत्रों की-तभी मि. खन्ना ने मेरी तरफ घूरते हुये कहा कि तुम इस देश में नये जरूरतमंद नहीं हो, तुम्हारे जैसे तमाम लोग यहाँ धक्के खाकर जाते हैं और तुम अपने आपको ग्रेजुएट कहते हो, तुम्हारे जैसे पता नहीं कितने ग्रेजुएट आज रिक्शा चलाते हैं, अब तुम लोग जाते हो या मैं वॉचमैन को बुलाऊँ, मि. खन्ना ने इतना कहकर हमारे सारे सर्टिफिकेट हमारे मुँह पर फेंक कर मारे, मैं और रवि चुपचाप अपने सारे प्रमाण पत्र बटोरकर रवि के कमरे की तरफ बढ़ने लगे, मैंने रवि का मायूस चेहरा देखा, वह बेचारा

सरकारी योजना को देखकर जितना खुश था, अब उतना ही दुखी दिखायी दे रहा था, शायद उसे आज समाज का वास्तविक चेहरा दिखाई दे गया था, कुछ देर में हम दोनों रवि के कमरे में पहुंचे, मैंने रवि को समझाया कि हम कहीं और से प्रयोगशाला बनाने के लिये पैसे का इंतजाम कर लेंगे। मेरी बात सुनकर रवि ने मेरी तरफ देखते हुये कहा– पर पैसा आयेगा कहाँ से। मैंने रवि से कहा– हो सकता है, कोई दूसरा बैंक हमें ऋण दे दे क्योंकि हमने बैंक के एक छोटे कर्मचारी से बात की थी, बैंक के मैनेजर से बात कर लेने से हो सकता है कि हमारी समस्या का समाधान हो जाये, इसलिये हमें कल किसी दूसरे बैंक और उसके मैनेजर से सीधा सम्पर्क करना चाहिये। हमारे पास इसके अलावा और कोई चारा नहीं था, रवि मेरा कहना मान गया, अगले दिन हम शहर के दूसरे सरकारी बैंक पहुंचे, बैंक में हमने सीधे मैनेजर से इस बारे में बात की, मैंने बैंक मैनेजर को अखबार का वो पन्ना दिखाया जिस पर लिखा था कि कोई भी शिक्षित बेरोजगार भारत सरकार की स्वरोजगार योजना के अन्तर्गत ऋण प्राप्त कर सकता है, बैंक मैनेजर उस विज्ञापन को देखकर बोला कि ऋण तो हम बाँट ही रहे हैं, आपको बताइये कितना ऋण चाहिये, मैंने बैंक मैनेजर को जवाब दिया–सर जी पाँच लाख रूपये ऋण के माध्यम से चाहिये, हम जल्द ही बैंक का सारा पैसा ब्याज सहित वापस कर देंगे, आपकी बड़ी कृपा होगी सर। बैंक मैनेजर मेरे सारे शैक्षिक प्रमाण पत्र देख बोला कि आपके सारे दस्तावेज पूरे हैं, मगर इनमें आपका इनकम टैक्स रिर्टन या इनकम प्रूफ नहीं है। मैंने बैंक मैनेजर से कहा कि सर यह क्या होता है, बैंक मैनेजर ने उत्तर दिया कि इस बात का सरकारी सबूत की आपकी हजारों लाखों में इनकम होती है और आप उसका टैक्स सरकार को भरते हैं, इन कागजों का होना बेहद जरूरी है। बैंक मैनेजर के इतना कहने के साथ मैं समझ गया कि हर जगह एक जैसा हाल है। मजबूर और गरीब की कोई मदद नहीं करता। मैंने साहब से अपने दस्तावेज लेकर थैले में रख लिये और बैंक मैनेजर को धन्यवाद देकर चुपचाप रवि के साथ वहाँ से निकल पड़ा, बैंक मैनेजर की यह सब बातें सुनकर मेरे और रवि की

उसे कुछ कहने की हिम्मत न पड़ी। शायद उस बैंक मैनेजर के माध्यम से हमें दुबारा उन सरकारी योजनाओं पर भरोसा कर बैंक जाने की नसीहत मिल गयी थी, मैं बैंक मैनेजर के सवालों को मन में सोच रहा था कि मुझे ऋण की आवश्यकता इसलिये थी कि मेरे पास आय नहीं थी और आय होने के बाद ऋण किसे चाहिये।

हम लोग फिर उसी कमरे में आ चुके थे जहाँ से गये थे, अब हमें किसी न किसी तरह अपने पैसों की समस्या का समाधान करना है, हम दोनों के परिवार अथवा रिश्तेदारी में कोई भी ऐसा नहीं था, जो एक हजार रूपये देकर भी हमारी मदद कर पाता, लाखों रूपये की तो दूर की बात थी। हम लोग अब रोज यही सोच रहे थे कि प्रयोग सफल बनाने के लिये हमें प्रयोगशाला चाहिये थी और प्रयोगशाला के लिये लाखों रूपये की आवश्यकता थी। इस पैसे के इन्तजाम के बिना यह प्रयोग असफल-सा दिखाई दे रहा था, रवि भी मायूस था, रवि कहने लगा कि अब हम पैसे का इंतजाम कैसे करें, हमने कई कोशिशें कर ली, लेकिन कोई सफलता नहीं मिली, अब तो बस चोरी करना ही रह गया है। रवि ने गुस्से में आकर शायद चोरी वाली बात कही, मेरे दिमाग में तुरन्त एक विचार आया कि कहीं चोरी करके पैसा इकट्ठा किया जा सकता है, लेकिन चोरी किसके यहाँ की जाये जिससे हमें पैसा भी हाथ लग जाये और हम पकड़े भी न जाएँ, ऐसा एक आदमी था, वास्तव में वह आदमी कोई और नहीं था, हमारे रसायन विज्ञान कोचिंग के टीचर थे, मि. अग्रवाल जी, जिनके घर हम रोज कोचिंग लेने जाते थे। मि. अग्रवाल सरकारी टीचर थे, साथ ही साथ पैतृक सम्पत्ति भी मि. अग्रवाल जी को खूब मिली थी, जिस कारण उनकी अलमारियाँ पैसे से भरी रहती थीं। मैंने तुरन्त यह फैसला ले लिया कि मि. अग्रवाल जी के यहाँ चोरी करनी है और प्रयोग सफल होने के बाद मैं स्वयं मि. अग्रवाल जी से माफी माँग लूँगा और उनके घर से लूटे गये सारे पैसे ब्याज सहित मैं उनको वापस कर दूँगा। मैं चुपचाप बैठा यह बात सोच ही रहा था कि तभी रवि ने मुझसे पूछा कि तुम क्या सोच रहे हो सूरज, मुझे बताओ। मैंने रवि को अपने दिल की बात बता दी कि यह

हमारी मजबूरी है कि हमें अपने ही गुरू मि. अग्रवाल जी के घर चोरी करनी पड़ रही है, रवि मेरी बात सुनकर चौंका और बोला यह सब तो बिल्कुल गलत है। मैंने रवि को समझाते हुये कहा कि मुझे पता है कि यह सरासर गलत है लेकिन इसके अलावा हमारे पास चारा ही क्या है और हम मि. अग्रवाल जी का चुराया हुआ पैसा अपने प्रयोग खत्म होने के तुरंत बाद ब्याज सहित दे देंगे और उनसे माफी भी माँग लेंगे, इससे हमारा सपना साकार हो सकेगा और अगर यह पैसा हमें नहीं मिला तो हमारे सारे ख्वाब टूट जायेंगे। रवि चुप था, वह मेरी बातों का जवाब नहीं दे पा रहा था, मैंने रवि को समझाते हुये कहा कि हम लोग मजबूरी में यह सब कर रहे हैं, कोई अपनी खुशी से नहीं, हमने पहले इस समाज के सामने अपनी परेशानी जाहिर की थी, क्या कोई भी हमारी मदद कर पाया था? अगर यह सरकार, यह समाज हमारी पहले ही मदद कर देता तो क्या हमारे दिमाग में ऐसे बेकार ख्याल आ पाते, मैंने कई लोगों के मुँह सुना था कि अपराधी पैदा नहीं होते, यह समाज उन्हें अपराधी बना देता है, पहले मुझे इस बात पर यकीन न था लेकिन जब यह मेरे साथ हुआ तो मुझे खुद यकीन आ गया। मेरा इतना कहते ही रवि ने कहा कि यदि हम चोरी करते पकड़ गये तब क्या होगा, रवि के इस सवाल से मैं समझ गया कि रवि के दिल में डर है जो कि स्वाभाविक था। मैंने रवि से कहा कि चल ठीक है, तू मत चल, मैं अकेला ही इस चोरी को अंजाम दे दूँगा, क्योंकि यह प्रयोग का ख्वाब भी तो मैंने अकेले ही देखा था और बिना दुखों–मुसीबतों का सामना किये कोई भी सफलता प्राप्त नहीं होती, मेरी यह बात सुनकर रवि ने मेरी तरफ देखते हुये कहा कि चलो सही है, हम दोनों मिलकर यह चोरी करेंगे, अब अंजाम चाहे जो भी हो। अब मैं और रवि मि. अग्रवाल जी के घर चोरी की योजना बनाने लगे। हम जब उनके घर कोचिंग के लिये जाते थे तभी रखी हुई अलमारी का जायजा लेते थे। रात में भागने का सीधा रास्ता ढूँढते थे। आखिरकार हमने तीन–चार दिन में चोरी की पूरी योजना तैयार कर ली।

सोमवार की रात थी। मैं और रवि मि. अग्रवालजी के घर चोरी करने गये, हमारे पास मुँह ढँकने का एक–एक कपड़ा था, ताकि हमारी

पहचान छुपी रहे, हमारे पास किसी को चोट पहुँचाने का कोई हथियार नहीं था, क्योंकि किसी को चोट पहुँचाना हम नहीं चाहते थे। मैंने रवि को अपने पीछे-पीछे लगा रखा था, हम मि. अग्रवाल जी के दरवाजे पर पहुंचे, दरवाजा रोज की तरह बंद था, हम दोनों उस दरवाजे के ऊपर चढ़कर दरवाजा पार कर गये और मि. अग्रवाल जी के मकान में घुस गये, हमने सारी चीजें कहाँ-कहाँ रखी हैं, इसकी जानकारी पहले ही कर ली थी, जिस कमरे में पैसों से भरी अलमारी रखी थी, हम उसी कमरे में दाखिल हो गये, उसी कमरे में मि. अग्रवालजी खर्राटे भरी नींद ले रहे थे। रात्रि के लगभग दो या ढाई बजे होंगे, मैंने सोचा कि यही वह समय होता है जब आदमी गहरी नींद में चला जाता है तभी मैंने एक टेबल की दराज खोली, उसमें पैसे वाली अलमारी की चाबी रखी थी, मुझे चाबी रखने की जगह पहले से पता थी, क्योंकि मैं और रवि कोचिंग करने के साथ-साथ चाबी रखने की जगह और दूसरी चीजों की जानकारी पहले से ही कर चुके थे, मैंने चाबी हाथ में ली और चुपचाप रवि को बराबर में रखी पैसों वाली अलमारी के पास बुलाया, मैंने रवि को अपने सामने खड़ा कर लिया और अलमारी को उस चाबी से बड़ी ही सावधानीपूर्वक खोला, अलमारी एक झटके में ही खुल गयी, जैसे ही अलमारी खुली मेरी आँखें उस खुली अलमारी को देखकर, खुली की खुली रह गयीं, वह पूरी अलमारी हजार और पांच सौ के नोटों की तमाम गड्डियों से भरी पड़ी थी, मेरा दोस्त रवि भी उस अलमारी में रखे इतने सारे नोट देखकर हक्का-बक्का रह गया, शायद हम दोनों ने इतना सारा पैसा पहली बार देखा था, रवि ने तुरन्त अपनी पैन्ट की जेब से एक कट्टा (बड़ा थैला) निकाला और अलमारी में रखा सारा पैसा भरने लगा, मैंने तुरंत उसका हाथ पकड़ा और इशारे में समझाते हुये कहा कि हम केवल उतना ही पैसा चुरायेंगे, जितनी हमें जरूरत है, हम पूरा पैसा चुराकर अपने जमीर को क्या जवाब देंगे, करीब एक मिनट तक हममें आपस में यही बहस होती रहीं। आखिरकार रवि मान गया और मैंने रवि के थैले में से हजार-हजार की गड्डी छोड़कर बाकी पैसा उसी अलमारी में रख दिया और चुपचाप अलमारी बंद कर दी, हम दोनों दबे

पाँव वहाँ से बाहर निकलने लगे, सामने वही ऊँचा दरवाजा था, जिसे हमने आते समय चढ़कर पार किया था, वह दरवाजा अंदर से बंद था, मैंने सोचा कि दरवाजा खोला जाये, लेकिन उस पर मोटा ताला लटक रहा था, हमने दुबारा उस गेट पर चढ़ने की शुरूआत की, मैं गेट पर चढ़कर पार हो गया, मैंने रवि को इशारे में उस गेट पर जल्दी चढ़कर आने को कहा, रवि ने नोटों का थैला मेरी तरफ फेंका, मैंने थैला पकड़ लिया, रवि जैसे ही गेट पार करने के लिये गेट के ऊपर चढ़ा, तभी गेट की साईड में रखा हुआ बड़ा-सा गमला रवि के पैर से टकरा गया, वो गमला दरवाजे पर सजावट के लिए दरवाजे के दोनों तरफ एक-एक रखा था, गमले के फर्श पर गिरते ही जोर की आवाज हुई और मकान मालिक मि. अग्रवाल जी शोर के कारण जाग गये। मि. अग्रवाल जी ने टेबल की दराज देखी, वह खुली हुई थी और उस दराज में पैसों वाली अलमारी की चाबी गायब थी, जल्दबाजी में हम दराज बन्द करना और चाबी उसमें रखना भूल गये थे, उस पैसों वाली अलमारी की चाबी भूलवश मेरी पैन्ट की जेब में आ गयी थी, यह सब देखकर मि. अग्रवालजी को यह समझते हुए देर न लगी कि बड़ी सावधानी से किसी ने उनके घर में चोरी कर ली है और चोर अभी भी बाहर दरवाजे पर ही है, मि. अग्रवाल जी तुरन्त अपने सिरहाने से लाइसेंसी माऊजर गन निकालकर दरवाजे की तरफ बढ़े, इतने समय में रवि दरवाजे से कूद चुका था, हम जैसे ही वहाँ से भागने लगे, एकदम बन्दूक से गोली चलने की आवाज मेरे कानों में तड़क गयी, पीछे मुड़कर देखा तो मि. अग्रवाल जी अपने दरवाजे के बाहर खड़े थे, उनके हाथ में एक लाइसेंसी माऊजर बन्दूक थी जिससे अभी-अभी मि. अग्रवाल जी ने हम पर फायर किया था, लेकिन निशाना चूक गया था। फायर की आवाज सुनकर पास-पड़ोस के तमाम लोग जागकर अपने-अपने दरवाजे पर आ गये थे। यह सब देखकर हम दोनों को हमारा अंत पीछे दिखाई दे रहा था, लेकिन मरते दम तक हम दोनों हार नहीं मानने वाले थे, हमने तुरन्त तेजी के साथ वहाँ से भागना जैसे ही शुरू किया, मि. अग्रवाल जी जोर-जोर से चिल्लाये-चोर-चोर, यह सुनते ही आसपास के लोगों ने हमें घेर

लिया और मारना शुरू कर दिया। जिसके हाथ में कुछ नहीं था वह लातों से हमें हमारे किये का फल दे रहे थे, वह सब ठीक थे, अपना काम कर रहे थे। गलती हमारी थी, हमने मि. अग्रवाल जी से नमकहरामी की थी, जिस गुरू ने दुनिया में सर उठाकर हमें जीना सिखाया, भले-बुरे की पहचान करायी, अच्छे संस्कार दिया और आज हमने उन्हीं संस्कारों का कत्ल कर दिये, शायद यह आज के इंसान का स्वाभाव था, जो मेरे अन्दर भी आ गया। झूठ, छल, बेईमानी से बना यह समाज उस काजल की कोठरी के समान है, जहाँ हर अक्लमंद इन्सान अपने आप को इस काजल से कितना भी बचाये लेकिन दाग लग ही जाता है, जैसे आज हम दोनों दोस्त उस काजल के दाग से न बच पाये। लोग हमें चारों तरफ से घेरकर मार ही रहे थे, इतने में मि. अग्रवालजी वहाँ पहुँचे और हमें मारती हुई पब्लिक को उन्होंने रोका और कहा कि सब लोग रूक जाओ, यह दोनों चोर मर न जायें, यदि यह दोनों मर गये तो इल्जाम हम सब कालोनी वालों पर आ जायेगा, मि. अग्रवालजी की यह बात सुनकर सभी लोग शांत हो गये, तभी मि. अग्रवाल ने मेरे दोस्त रवि से पूछा- बताओ चोरी का पैसा कहाँ है, मि. अग्रवाल जी के इतना कहते ही रवि ने पैसों का वह थैला अपनी पैन्ट की अन्टी से निकालकर मि. अग्रवाल को दे दिया, शायद रवि हालत देखकर समझ गया था कि अब हम इन लोगों से नहीं बच पायेंगे, इसलिये चुपचाप चुराये गये पैसे लौटा देने में ही फायदा है, मि. अग्रवाल जी ने रवि के पास से थैला बरामद कर उसमें रखे नोट देख लिये थे, मि. अग्रवालजी समझ नहीं पा रहे थे कि जिस अलमारी में 30 लाख रूपये रखा था उसमें से केवल पाँच लाख रूपये ही इन चोरों के पास से बरामद हुये हैं, मि. अग्रवाल ने कड़क आवाज में हम दोनों से कहा कि अलमारी की चाबी किसके पास है, चुपचाप दे दो, मि. अग्रवाल जी के इतना कहते ही मैंने अपनी दाहिनी पैन्ट की जेब से वह अलमारी की चाबी मि. अग्रवाल जी को दे दी, मि. अग्रवाल जी ने वह चाबी अपने हाथ में जोर से पकड़ी और आसपास खड़े लोगों से कहा कि मैं अभी तुरन्त कमरे में से टॉर्च लेकर आता हूँ, इन दोनों चोरों को तब तक यहाँ से

हिलने मत देना, तभी मि. अग्रवाल जी अपने कमरे की तरफ लपके, आसपास खड़े लोग तो बस यही सोच रहे होंगे कि मि. अग्रवाल जी अपने मकान में से एक टॉर्च लेने गये हैं, लेकिन वास्तव में मि. अग्रवाल जी अपने पैसे वाली अलमारी देखने गये थे कि बाकी पैसा उस अलमारी में सलामत रखा है कि नहीं, इतने में मि. अग्रवाल जी वहाँ एक टार्च लेकर हाजिर हो गये, मि. अग्रवाल जी अपने पास में खड़े एक पड़ोसी से बात कर रहे थे कि अब हमें तुरन्त पुलिस को बुलाना चाहिये। मि. अग्रवाल जी की बातों में जोश व उमंग पहले से ज्यादा आ गयी थी, इसका कारण यह होगा कि उन्होंने अपने अलमारी में रखे सारे पैसे वहीं रखे देखे होंगे और अब मि. अग्रवाल जी को पूरी संतुष्टि हो गयी होगी। मि. अग्रवाल वह टार्च हम चोरों का चेहरा देखने लाये थे, हम दोनों चोरों के चेहरे पर कपड़े का नकाब बंधा हुआ था, मि. अग्रवालजी ने बड़ी फुर्ती से टार्च जलाई और हमारे चेहरे पर मारी, दूसरे हाथ से जैसे ही उन्होंने हम दोनों का नकाब (चेहरे का कपड़ा) हटाया, तो वह दंग रह गये, आसपास के लोग भी मुझे और रवि को अच्छी तरह पहचानते थे क्योंकि हम मि. अग्रवाल जी के घर उनसे कोचिंग लेने सालों से आ रहे थे, मि. अग्रवाल जी हम दोनों को तुरंत पहचान गये, वो हमें गन्दी-गन्दी गालियाँ देने लगे, वो कह रहे थे कि मैंने परिवार के सदस्यों की तरह तुम लोगों को समझा और तुम चोर निकले नमकहरामों, मि. अग्रवाल जी चिल्ला-चिल्लाकर हमें गन्दा कहते रहे, उन्होंने कहा कि तुम बात तो बड़ी-बड़ी करते थे, देश के लिये ये करना, देश के लिये वो करना है, अब कहाँ गयी तुम्हारी वो बातें, तुम तो एक चोर निकले, विश्वासघाती चोर, मि. अग्रवाल जी अपने किए पर शर्मिंदा थे, वो सोच रहे थे कि उन्होंने हमारे जैसे चोरों को घर में घुसने ही क्यों दिया, पहले से वह क्यों नहीं भाँप गये। इस बात का गुस्सा उनके दिमाग में पनप रहा था, इसी वजह से मि. अग्रवाल जी खुद को हमें मारने-पीटने से नहीं रोक पा रहे थे और उन्होंने अपना गुस्सा शांत करने के लिये पास में पड़ी हुई एक लाठी अपने हाथ में लेकर हम दोनों पर टूट पड़े, मि. अग्रवाल सब लोगों के बीच हमें इसलिये पीट

रहे थे शायद वो उन लोगों को, उस समाज को दिखाना चाहते थे कि उन्होंने अपने घर आये चोरों को बिना पीटे नहीं जाने दिया, शायद यह इस समाज के लिये एक दिखावा ही था, एक झूठी शान थी, जो आज का समाज एक-दूसरे पर अपना दबाव बनाने के लिए करता है, फिर इसमें चाहे किसी की जान ही क्यों न चली जाये, किसी का घर ही क्यों न उजड़ जाये, कोई फर्क नहीं पड़ता। मि. अग्रवाल जी अभी तक हमारी ताबड़तोड़ पिटाई कर ही रहे थे कि इतने में पुलिस की मारूति के सायरन की आवाज मेरे कानों में आयी, शायद इसी बीच में किसी सज्जन ने अपनी बहादुरी का परिचय देते हुये, इस चोरी की बात पुलिस को बता दी थी, पुलिस के वहाँ आते ही मि. अग्रवाल जी ने लाठी एक तरफ फेंक दी और मेरे सामने आकर खड़े हो गये। इतनी मार से मैं और मेरा दोस्त रवि कराह रहे थे, मैं मि. अग्रवाल जी से हाथ जोड़कर माफी माँगने की कोशिश कर रहा था लेकिन दर्द के मारे मेरे हाथ नहीं उठ रहे थे, बोलने के लिये मेरी जबान लतरा रही थी। तभी उस पुलिस की गाड़ी में से पाँच पुलिस वाले उतरे, उनमें से एक पुलिस वाले ने पूछा कि चोर यहीं है? मि. अग्रवाल जी ने मेरी तरफ इशारा करते हुये, बड़े ही विश्वास के साथ कहा, कि हाँ दरोगाजी चोर यहीं है और इन्हें लम्बी जेल यात्रा कराइयेगा। मैं जेल का नाम सुनकर दंग रह गया, मैं मन ही मन सोच रहा था कि अगर मैं जेल गया तो मेरे प्रयोग का क्या होगा और मेरी माँ-बहन का क्या होगा जो मेरे भरोसे ही जी रहे हैं, मेरे जेल जाने के बाद वो तो जीते-जी मर जायेंगे और अब मुझे एहसास हो रहा है कि मैंने अपना ख्वाब पूरा करने के लिये अपना दोस्त और घरवाले दाँव पर लगा दिये थे, मैंने जेल के बारे में किसी अखबार में एक लेख पढ़ा था उसमें लिखा था कि एक बहुत छोटा-सा चोर जेल जाकर बहुत बड़े डाकू की ट्रेनिंग लेकर जेल से बाहर निकलता है क्योंकि हमारे देश की ज्यादातर जेलों में बहुत मामूली चोर और बड़े-बड़े खूंखार अपराधी डाकू एक साथ रखे जाते हैं, इस कारण वह मामूली चोर भी बड़ी वारदातों को अंजाम देने तथा न पकड़े जाने की ट्रेनिंग अपने से बड़े अपराधी से लेता है और जब तक जेल से छूटता

है, तो पहले से कहीं ज्यादा अपराध सीखकर आता है, मुझे इन सब बातों से अपनी चिंता नहीं थी लेकिन मैं बाकी बातों को लेकर व्याकुल था, मैं मन ही मन रोने लगा था। तभी दरोगाजी ने अपना फर्ज पूरा करते हुये गाड़ी से एक हथकड़ी निकाली और मुझे और रवि को हथकड़ी में बांधते हुये दरोगाजी बोले कि चलो थाने चलो वहाँ तुम दोनों की हम अच्छी खातिर करेंगे। रवि और मैं उस पुलिस वाले की बात का मतलब अच्छी तरह समझ रहे थे, दरोगा की यह बात सुनकर मि. अग्रवाल जी ने मुस्कुराते हुये दरोगाजी से कहा कि ठीक है आपकी मिठाई आपको पहुँच जायेगी लेकिन इन चोरों को आप सही ढंग से समझ लीजियेगा, मुझे इस मिठाई का मतलब भी आज सही ढंग से समझ आ गया है, यह भ्रष्टाचार रूपी मिठाई आज हर किसी को सबसे ज्यादा लुभा रही है, आज कोई ऐसा पेशा नहीं है जहाँ इस मिठाई का बढ़-चढ़कर इस्तेमाल नहीं होता, ढेड़ सौ करोड़ जनता ने जिन लोगों के सहारे देश का भविष्य सौंप रखा है, वही यह मिठाई खाकर मस्त रहता है, ये दरोगाजी तो बहुत छोटे थे जिन्होंने मि. अग्रवाल की मिठाई कुबूल की थी। दरोगाजी ने तभी हम दोनों को गाड़ी के अन्दर बैठने का इशारा किया, मैंने मि. अग्रवालजी से एक बार फिर दोनों हाथ जोड़कर माफी माँगते हुये कहा कि सर आप अगर यह इल्जाम वापस ले लेंगे तो मेरी और रवि की जिन्दगी खराब होने से बच जायेगी, मेरा परिवार सड़क पर आ जायेगा, कृपया करके हमें चाहे जितना मार लीजिये लेकिन हमें जेल मत भेजिये, आपका एहसान हम जिन्दगी भर नहीं भूलेंगे, मेरी यह बात सुनकर मि. अग्रवाल जी ने कहा कि भाड़ में जाओ तुम और तुम्हारा परिवार, मुझे इन सबसे कोई मतलब नहीं है और अब तुम्हारे साथ जो भी होगा पुलिस करेगी, मुझे परेशान मत करो, मि. अग्रवालजी के इतना कहते ही दरोगाजी ने हम दोनों को गाड़ी में बैठने को जबरदस्ती धक्का दे दिया, हम दोनों उस पुलिस की जीप में बैठे जा रहे थे, रवि अपने घुटनों में सर डालकर रो रहा था, रोना तो मुझे भी आ रहा था लेकिन रवि की तरफ देखकर कि मैं अगर बड़ा होकर रोऊँगा तब उस बेचारे रवि का दिल तो और ज्यादा टूट जायेगा इसलिये मैं

अपनी आँखों में आने वाले आँसू आँखों से बाहर नहीं ला पाया, हमें पुलिस की जीप में चलते-चलते आधा घण्टा हो चुका था, मैंने अपने शहर का थाना देखा था, मैं वहाँ से थाने जाने वाली रोड को अच्छी तरह पहचानता था, तभी कुछ देर में हम जिस रोड़ पर चल रहे थे वो रोड ही समाप्त हो गया और उस रोड़ के स्थान पर कच्चा रास्ता आ गया था, रास्ते के दोनों तरफ घना जंगल था, कच्चा रास्ता भी अब टेढ़ा-मेढ़ा होने लगा था, तभी कुछ देर में वे पुलिस वाले हमें एक खंडहर जैसे मकान में लेकर पहुँचे, मैं सोच रहा था कि यह तो पुलिस स्टेशन नहीं है, शायद हो सकता है ये पुलिस वाले थाने का रास्ता भूल गये हों, या फिर ये किसी अपराधी को यहाँ से पकड़ने आये हैं लेकिन पुलिस अपना रास्ता कैसे भूल सकती है और यहाँ इस खंडहर जैसे मकान में कौन रहता होगा, यहाँ तो रोशनी तक दिखायी नहीं दे रही है। इस तरह से मैं अपने मन में पैदा होने वाले सवालों का स्वयं ही उत्तर दे रहा था। हम लोग उन पांचों सिपाहियों के बीचो-बीच उस खंडहर की तरफ गाड़ी से उतरकर ले जाये जा रहे थे, हमें उस खंडहर की तरफ से इंसानों के रोने और चीखने की आवाजें आ रही थी, जैसे-जैसे हम उस खंडहर की तरफ बढ़ रहे थे ये आवाजें और तेज और स्पष्ट हो रही थीं, मैं यह आवाजें सुनकर दहल गया था, मेरा मन किसी भयानक अनहोनी होने का संकेत दे रहा था। तभी जैसे ही हम उस खंडहर के गेट पर पहुंचे एक खूंखार-सा आदमी गेट खोलने आया, हम गेट के अन्दर घुस गये थे। तभी दरोगा के कहने पर हम दोनों की हथकड़ी एक पुलिस वाले ने खोल दी, दरोगा बोला कि खोल दो इन्हें, अब यहाँ से इनका बाप तक नहीं भाग पायेगा। उस समय मुझे और रवि को एक पुलिसवाला बराबर में बने एक कमरे की तरफ ले जाने लगा, मैं और रवि हम दोनों बहुत बेचैन थे, हम सोच रहे थे कि यह जगह थाने जैसा बिल्कुल नहीं है, हमें यह कहाँ ले गये हैं मैं समझ नहीं पा रहा था, वह जगह हम दोनों को बहुत डरावनी लग रही थी, मैंने वहाँ देखा कि इंसानों को टॉर्चर करने का सामान वहाँ रखा था, करंट लगाने वाली मशीनें, लोगों के नाखुन उतारने वाला सामान और एक पारदर्शी शीशे के डिब्बे

में कुछ रंग-बिरंगे बिच्छु बंद थे जो शायद अपराधी को गुनाह न कबूल करने पर बिच्छुओं से कटवाकर गुनाह कबूल करवाया जाता होगा। मैं यह सब चीजें देखकर समझ गया था कि यह पुलिस स्टेशन नहीं है बल्कि देश कानून चलाने वाले पुलिसकर्मियों का गैरकानूनी अड्डा था और वहाँ गुपचुप तरीके से पुलिस गुन्डों को साथ लेकर यहाँ लोगों की खाल खींचकर अपने मनमाने तरीके से गुनाह कुबूल कराती है, पुलिस ने मीडिया और समाज से बचने के लिये ऐसा अड्डा बनाया था, हमें वह सिपाही बराबर वाला कमरा खाली न होने पर जमीन के नीचे बने एक तहखाने जैसी जगह में ले गया, उसमें बड़ी मल-मूत्र की गंध आ रही थी, रोशनी के लिये उसमें एक तरफ से चन्द्रमा की किरण ही आ रही थी, इतने में वह सिपाही हमें उस तहखाने में बंद करके जाने लगा, मैंने सिपाही से कहा- सर आप हमें कहां लेकर आये हैं, हमें अपने घर फोन करना है, कृपया हमें घर फोन करा दीजिये। इस बात पर वह पुलिस वाला कहने लगा कि घर तो तुम लोग भूल ही जाओ, इतना कहकर बाहर से दरवाजा बंद कर वह पुलिस वाला वहाँ से चला गया। उस पुलिस वाले के जाने के बाद मेरा दोस्त रवि वहाँ एक कोने में बैठकर रोने लगा, उसके रोने की आवाज के साथ-साथ उस तहखाने में से किसी के कराहने की आवाज भी आ रही थी, मैंने रवि को चुपाते हुये कहा कि रवि देखो, हमारे अलावा यहां कोई और भी है और वह कराह रहा है, हमने जब तहखाने की दूसरी तरफ जाकर देखा तब वहाँ एक आदमी जिसकी उम्र लगभग 30 वर्ष होगी चित्त पड़ा कराह रहा था, हमने जब उस आदमी को नजदीक से देखा तो उसके शरीर पर पुलिस द्वारा किया गया कृत्य साफ दिखाई दे रहा था, उसके शरीर से पूरे कपड़े गायब थे, उसके हाथ-पैर के नाखुन खींच लिये गये थे, पैरों के तलवों पर लोहे की राड मार-मार कर सुजा दिया गया था, ऐसा लग रहा था जैसे उस आदमी में सिर्फ जान ही बाकी थी, वह बेचारा सरकने लायक भी न था, पड़ा-पड़ा वहीं मल-मूत्र कर रहा था। तभी मैंने और रवि ने उस आदमी को अपना परिचय दिया और उसका परिचय माँगा। वह बेचारा बड़ी कठिनाई के साथ बोल पा रहा था। उस तहखाने में एक

पानी का ड्रम भी था, हमने उस आदमी को ड्रम से पानी निकालकर साफ किया और बाद में रवि ने अपना निकर और मैंने अपना बनियान उस आदमी को पहनाकर, उस गंदी जगह से हटाकर, एक साफ जगह पर लिटा दिया, कुछ देर बाद मैंने उस आदमी से पूछा कि आप कौन हो और यहाँ आप कैसे आ गये, इसके बारे में कुछ बताइये। मैंने देखा उस आदमी के रोते-रोते आँसू सूख गये थे क्योंकि मेरे द्वारा उससे पूछने पर वह शशक-शशक कर रोने लगा था और उसकी आँखों से आँसू तक नहीं निकल रहे थे। मेरे द्वारा कई बार पूछने पर आखिरकार उस आदमी ने उत्तर दिया कि वह इसी शहर का एक बेरोजगार आदमी है, ग्रेजुएट है, नौकरी न मिलने के कारण अपने परिवार का रिक्शा चलाकर पेट भरता है, 10 दिन पहले उसके रिक्शे में एक पुलिसवाले ने पीछे से टक्कर मार दी, यह टक्कर पुलिस जीप से हुई थी, पुलिस जीप वहाँ से गुजर रहे एक नेताजी को सुरक्षा दे रही थी, पुलिस जीप की टक्कर से उस बेचारे रिक्शेवाला का रिक्शा चूर-चूर हो गया और बड़ी मुश्किल से रिक्शे से कूदकर वह रिक्शेवाला अपनी जान बचा पाया था, तभी पुलिस जीप कुछ समय के लिये वहाँ रूकी और एक दरोगाजी पुलिस जीप से बाहर निकले और उस रिक्शेवाले को पूरी ताकत से जोर का तमाचा लगा दिया और गन्दी-गन्दी गालियाँ देने लगे। रिक्शेवाला बेचारा पढ़ा-लिखा था, उसने दरोगा जी से कड़ककर कहा कि दरोगाजी एक तो आपने हमारे रिक्शे में पीछे से टक्कर मारकर हमारा रिक्शा तोड़ा, ऊपर से आप अपनी गलती मानने की बजाये हमें थप्पड़ मार रहे हैं, रिक्शवाले की बात सुनकर एक बार फिर दरोगाजी तिलमिला उठे और पुलिस जीप में बैठे दो सिपाहियों को बुलाकर लाठी लाने को कहने लगे, वे तुरंत दो सिपाही लाठी लेकर उस रिक्शेवाले पर टूट पड़े, रिक्शेवाले से जब मार बरदाश्त नहीं हुई तो कहने लगा कि मैं दरोगाजी आपके खिलाफ मानवाधिकार आयोग में शिकायत करूँगा, शायद उस रिक्शेवाले ने न्याय और कानून की बातें स्कूल-कॉलेजों में पढ़ी होंगी, लेकिन आज उस रिक्शवाले को इस बात का जरूर एहसास हो गया कि देश में जिन नेताओं को हम अपने वोट के बल पर अपनी सत्ता निःसंकोच सौंप देते

हैं, वे हमें अपने सामने आना तक बरदाश्त नहीं कर पाते और यदि उस रिक्शेवाले जैसा कोई सामने भूलवश आ भी जाये तो उसका स्वागत उस रिक्शेवाले की ही तरह होता है। रिक्शेवाले द्वारा उन दरोगाजी की शिकायत मानवाधिकार आयोग में करने की बात पर, वह दरोगा और उनके साथ खड़े सिपाही मुस्कुरा रहे थे, तभी दरोगाजी ने उन दो सिपाहियों से कहा कि मैं मंत्रीजी को शहर के बाहर तक करके आता हूँ, तुम दोनों इस रिक्शेवाले को लेकर अच्छी तरह से थाने में मानवाधिकार आयोग दिखा देना। रिक्शेवाला दरोगाजी की बात समझ गया कि थाने ले जाकर उसे अभी और मार पड़ने वाली है, वे टूटकर दोनों हाथ जोड़कर पास में ही खड़ी मंत्रीजी की गाड़ी की तरफ रोता हुआ बोला कि गरीब आदमी हूँ साहब, बचा लीजिये, मुझ गरीब ने ही आपको अपना कीमती वोट देकर इस काबिल बनाया था कि आप भविष्य में हमारी मदद करेंगे। उस रिक्शेवाले की यह बात सुनते ही मंत्रीजी ने उस दरोगा से चलने को कहा, इतने में वह मंत्रीजी अपने काफिले के साथ वहाँ से चले गये, वह रिक्शेवाला लड़खड़ा कर गिर गया, पास में खड़े दो पुलिसवाले जिन्हें दरोगाजी उस रिक्शेवाले को थाने ले जाने के लिये छोड़ गये थे, उन सिपाहियों ने उन दरोगाजी की आज्ञा का पालन करते हुये उस रिक्शेवाले को वहाँ से उठाया और सीधे इसी तहखाने में लाकर डाल दिया जहाँ मैं और रवि बन्द थे। उस रिक्शेवाले को उस तहखाने में डालने के अगले दिन इसी शहर में किसी हत्यारे ने एक व्यापारी की हत्या कर दी, व्यापारियों ने अज्ञात हत्यारे के खिलाफ मुकदमा लिखा दिया और पुलिस पर बहुत बड़ा दबाब बनाने लगे कि हत्यारे की गिरफ्तारी जल्दी की जाये नहीं तो व्यापारी देशव्यापी हड़ताल करेंगे, एक वरिष्ठ पुलिस अधीक्षक ने उस दरोगा को जिसने उस रिक्शेवाले को पकड़कर एक गुप्त तहखाने में डाल रखा था, साफ-साफ अल्टीमेटम दे दिया था कि जल्दी ही अगर इस व्यापारी का हत्यारा तुमने गिरफ्तार नहीं किया तो नौकरी से तुम्हें हटा दिया जायेगा, दरोगा जी इस बात को लेकर बहुत परेशान थे। वह सोच रहे थे कि असली हत्यारा तो पता नहीं कब पकड़ा जायेगा, लेकिन कोई ऐसा

आदमी मिल जाये जिसे हम हत्यारा बनाकर केस खत्म कर सकें, ऐसा आदमी जो गरीब और अपने ऊपर लगे इल्जाम कभी झुठला न सके, जिसे जेल से छुड़ानेवाला कोई न हो। अचानक उस दरोगा का ध्यान तहखाने में पड़े उस रिक्शेवाले पर गया, वह इस केस के लिये बिल्कुल फिट था, दरोगाजी ने अपने पद का दुरूपयोग करते हुये उस रिक्शेवाले को रोज पीटना शुरू कर दिया जिससे कि वह उस व्यापारी के मर्डर का इल्जाम अपने ऊपर ले ले, वह दरोगाजी रोज सुबह-शाम अपने मित्रों के साथ मिलकर उस रिक्शेवाले की खाल खींचते थे, उसे नंगा करके करंट लगाया जाता था, हर तरह की यातना उसे दी जा रही थी, वह रिक्शेवाला बेचारा कुछ समझ नहीं पा रहा था, वह मार खा-खाकर टूट चुका था। अब और मार खाने की हिम्मत उसके अन्दर नहीं रह गयी, उसने सोचा–जब तक मैं उस व्यापारी के मर्डर का इल्जाम अपने ऊपर नहीं ले लूँगा, तब तक ये पुलिसवाले मुझे मारते ही रहेंगे, आखिरकार उस रिक्शेवाले ने उस व्यापारी के मर्डर का इल्जाम अपने ऊपर ले लिया, तभी कुछ लोग उस तहखाने में आये और उस रिक्शेवाले को वहाँ से उठाकर ले गये, शायद वे लोग उसे मीडिया के सामने पेश करने ले गये होंगे, ताकि पूरी दुनिया पुलिस की कामयाबी पर खुशी और उस हत्यारे पर पत्थर मार सके। मैं और रवि तहखाने में बैठे यह सब सुन और देखकर सदमे में चले गये थे, मैं सोच रहा था कि उस बेकसूर रिक्शेवाले के बाद अब हम दोनों का नम्बर है, जबकि हमने वास्तव में चोरी की है, इसकी सजा तो और भी भयानक होगी। इतने में वही दरोगाजी दो पुलिसवालों के साथ हम दोनों के सामने आकर खड़े हो गये, यह वही दरोगाजी थे जिन्होंने मुझे और रवि को चोरी के इल्जाम में गिरफ्तार किया था, यह भी उसी पुलिस के सिपाही थे, जिसके एक दरोगा ने उस बेचारे रिक्शेवाले की जिन्दगी नर्क से बदतर बना दी थी, तभी दरोगाजी ने मुझसे कड़ककर पूछा कि तुम दोनों साफ-साफ मुझे बता दो कि कहाँ-कहाँ तुम अब तक कितनी चोरियाँ कर चुके हो, तुम्हारे और कौन-कौन इस काम में साथी हैं और अगर तुम सीधे-सीधे नहीं बताओगे तब तुम अच्छी तरह यह जान चुके होगे

कि दूसरे तरीके से भी हमें जुल्म उगलवाना अच्छी तरह से आता है, दरोगाजी की यह बातें सुनकर रवि रोते हुये बोला कि दरोगाजी हमने पहली बार बहुत बड़ी मजबूरी में यह चोरी की है, मेरी यह बात सुनकर जैसे दरोगाजी को सैकड़ों बिच्छुओं ने एक साथ डंक मार दिया हो, वह तिलमिला उठे और पलक झपकते ही उन्होंने हमारे ऊपर लाठियाँ भाजनी शुरू कर दी, मारते-मारते वे बार-बार यही पूछ रहे थे कि बताओ कितनी चोरियाँ अब तक की हैं और कितना पैसा अब तक इकट्ठा कर चुके हो? थोड़ी देर में हम दोनों को पीटने के बाद वह दरोगाजी बोले कि इस शहर में 20 चोरियों के केस हमारे थाने में अज्ञात चोरों के नाम लिखे गये हैं, वो सारे केस अब तुम दोनों पर लगाये जायेंगे, चुपचाप इन केसों को अपने सर ले लो और साथ ही जितना पैसा अब तक तुमने चोरियाँ करके इकट्ठा किया है सारा मुझे दे दो, वरना तुम दोनों से पहले, तुम उस रिक्शेवाले का अंजाम देख ही चुके हो, मैं कल तक का समय तुम दोनों को देता हूँ, सोच लो, इतना कहकर वह दरोगाजी अपने उन दोनों पुलिसवालों के साथ तहखाने में चले गये, मैं और रवि बहुत बेचैन थे कि पता नहीं क्या होगा, मैं सोच रहा था कि एक पेशेवर हत्यारा भी इतना निर्दयी नहीं होगा जितना यह पुलिस है, हम दोनों को इस तहखाने में बंद हुये चौबीस घंटे से ज्यादा का समय हो चुका था, हम वहाँ पर रखे एक ड्रम का गंदा पानी पीकर जीवित थे, खाने के लिये अब तक सूखी रोटी तक हमें नहीं मिली थी, अब मुझे रवि पर तरस आ रहा था, मैं सोच रहा था कि पता नहीं क्यों मैंने उसे प्रयोग में शामिल किया और अगर मैंने उसे प्रयोग में शामिल कर भी लिया था तो उसे इस चोरी में शामिल नहीं करना चाहिये था। यही सोचते-सोचते रात खत्म हो गयी और दूसरा दिन निकल आया था, इतने में मैंने देखा कि दरोगाजी अपने उन दो पुलिसवालों के साथ वहाँ पहुंच गये हैं, दरोगाजी ने एक बार फिर कड़कड़ाते स्वर में पूछा कि या तो तुम आज अपना गुनाह कबूल कर लो और चोरी का वह पैसा मुझे दे दो, नहीं तो एन्काउन्टर तुम दोनों का आज होकर ही रहेगा, एन्काउन्टर की बात सुनकर हम दोनों काँप गये मगर हम क्या कहते?

न तो हमने उस चोरी के अलावा कोई चोरी की थी और न ही कानी कौड़ी हमारे पास मौजूद थी। हम दोनों तो सच ही बोल रहे थे और सच बोलने की कीमत हमें चुकानी पड़ रही थी, एक बार फिर हमने दरोगाजी को वही सच्चाई बताई कि हमने इस चोरी के अलावा कोई और चोरी नहीं की है, दरोगाजी हम पर बिल्कुल भी यकीन नहीं कर रहे थे, इतने में ही एक पुलिसवाला मुझे एक कोने में ले गया और धीरे से कहने लगा कि अगर तुम दोनों दरोगाजी को एक लाख रूपये का इन्तजाम करवा दो तो साहब कोई छोटा-सा केस तुम दोनों पर लगाकर बाहर से बाहर बेल पर छुड़वा देंगे, अब बताओ पैसे का इन्तजाम करते हो या चोरी के कम से कम बीस केस लगवाओगे और जिन्दगी भर जेल में सड़ते रहना, मैंने सकपकाते हुये उस सिपाही से कहा कि सर एक लाख तो दूर हमारे पास तो एक हजार रूपये तक नहीं हैं। मेरी इस बात पर सिपाही धीरे से हँसा और मुझसे बोला कि तुम बस अपने घर का मोबाइल नंबर मुझे बता दो, तुम्हारे घर वालों से हम खुद पैसों का इन्तजाम करवा लेंगे, मैंने उस पुलिसवाले को डरते-डरते घर पर माँ का नंबर बता दिया, मैं यदि घर का नंबर नहीं भी बताता तब भी वह मेरे पास से मिले मोबाइल से घर का मोबाइल नंबर निकाल लेते जो उनके पास था, मैं उस पुलिसवाले से कई बार कह चुका था कि घर पर मेरी माँ है जो घर का खर्च ही बड़ी मुश्किल से चला पाती है, आपको एक लाख रूपये का इंतजाम कहाँ से करेगी, आप बेशक हम पर सारे केस लगाकर जेल भिजवा दीजिये लेकिन मेरी माँ को पैसों के लिये मजबूर मत कीजिये, मेरी बात सुनकर उस पुलिसवाले पर कोई फर्क नहीं पड़ा, उसने तुरंत अपनी जेब से एक मोबाइल निकालकर घर पर माँ का नंबर लगा दिया, माँ ने पहली ही घंटी पर फोन उठा लिया, तब उस पुलिसवाले ने माँ से कहा कि तुम्हारा बेटा सूरज और उसके दोस्त रवि को तमाम चोरियों के इल्जाम में हमने पकड़ लिया है, हम शहर के थाने से बोल रहे हैं, अगर तुम अपने इन चोर बेटों को छुड़ाना चाहती हो तो एक लाख रूपये का इंतजाम करके थाने पहुंचा दो, नहीं तो यह दोनों जेल से जिन्दगी भर न छूट पायेंगे, माँ ने उस पुलिसवाले को जबाब

दिया कि आप लोग इन दोनों को झूठा फँसा रहे हैं, एक लाख रूपये की इतनी बड़ी रकम हम आपको कहाँ से दे दें। यह तो गैरकानूनी है, मैं आपकी शिकायत बड़े-बड़े अधिकारियों से करूँगी, माँ की इस बात पर वो सिपाही ठहाका मार हँसते हुये बोला कि आंटी जी, बड़े अधिकारियों से बात करने में क्यों अपना समय बर्बाद कर रही हैं, आपको मैं बता दूँ कि आपके इस पैसे में सभी अधिकारियों का हिस्सा होता है, तभी उस पुलिसवाले ने माँ से बात कराने के लिए मुझे फोन दे दिया, मैंने माँ से बात करने के लिए जैसे ही हलो माँ कहा, माँ फोन पर रोने लगी थी, मैंने माँ को समझाते हुये कहा कि मैंने चोरी की है लेकिन एक, उसकी सजा मुझे मिलनी ही चाहिये, मैंने माँ से कहा–मैं ठीक-ठाक हूं, तुम मेरे बारे में सोचकर परेशान मत होना, मैं जल्द अपने पाप की सजा भुगतने के बाद घर आ जाऊँगा, मेरी बात का माँ कोई जवाब नहीं दे पा रही थी, वह बस रोये जा रही थी, तब मैंने माँ से कहा कि तुम मुझे छुड़ाने के लिये इन पुलिसवालों को कुछ मत देना, अगर तुमने पैसा इन सिपाहियों को दे भी दिया, तब मेरी दोनों बहनों की शादी कैसे होगी, मुझे माफ करना माँ, मैंने आपका भरोसा तोड़ा है, मेरी जगह इस जेल में ही होनी चाहिये, मेरे इतना कहते ही पास में खड़े उस सिपाही ने मुझसे फोन छीन लिया और मेरे थप्पड़ मारते हुये बोला कि मैंने तुझे घरवालों से पैसे मँगाने के लिये फोन दिया था या तुम दोनों माँ-बेटों की नौटंकी करने के लिये, तभी उस पुलिसवाले ने रवि के पास खड़े दरोगा के कान में कुछ कहा और वह सब पुलिसवाले दरोगा सहित वहाँ से चले गये।

आज दूसरा दिन था हम दोनों को इस तहखाने में बंद हुये, भूख के मारे शरीर काँप रहा था, सर में चक्कर आ रहे थे, मैं सोच रहा था कि यह पुलिसवाले तो एक अपहरणकर्ता की तरह व्यवहार कर रहे हैं, इस प्रकार तो हम दोनों भूख के कारण मर ही जायेंगे, मैं यह सब सोच ही रहा था कि तभी उस तहखाने के एक वेन्टीलेटर से किसी ने पॉलीथीन में बांधकर कुछ फेंका, मैंने और रवि ने जब उस थैली को नजदीक से देखा, तब उस थैली में शायद बचा-कुचा एवं बदबूयुक्त

खाना दिखाई दिया, हम दोनों उस बेकार बदबूदार खाने को देखकर खुश थे क्योंकि वह भी हमारी जान बचा सकता था, हमने तुरंत सब बातें भूलकर वो खाना खाया और ड्रम में रखे बदबूदार पानी को पीकर, हमने चैन की साँस ली, आज मुझे समझ में आया कि एक-एक दाने को जोड़कर कितने भूखों का पेट भरा जा सकता है, मैंने सोचा कि दुनिया में एक तरफ ऐसे लोग हैं, जो आये दिन लाखों-करोड़ों टन खाद्दान बर्बाद कर देते हैं और दूसरी तरफ वह गरीब भूखे जो इसी दाने के लिये भूख के कारण दम तोड़ देते हैं, हमें उस तहखाने में बंद हुये तीन दिन बीत चुके थे, मुझे लग रहा था कि माँ कहाँ से इन लोगों को पैसा देंगी और वैसे भी मैंने माँ से मना कर दिया था कि वो इन पुलिसवालों को पैसा न दें, अब तो हमारी हालत खराब होने लगी थी, दो-तीन पुलिसवाले रोज हमारे पास आकर बिना कोई कारण बताये मारते और गंदी गालियाँ देते थे, यही मार और गाली खाते-खाते आज हमें आठ दिन बीत चुके थे, हम दोनों ने यह उम्मीद छोड़ दी थी कि हम यहाँ से बाहर भी निकल पायेंगे, हम रोज उन लोगों से कहते थे कि हमें यहाँ से निकालकर वह जेल भेज दें, लेकिन उन पुलिसवालों पर हमारी बात का कोई असर नहीं होता था, हमें उस तहखाने में बंद हुये 11 दिन बीत गये थे, सुबह का समय था, तभी मैंने देखा एक सिपाही मेरी तरफ एक फाइल जैसी चीज लेकर आ रहा था, उसने मेरे सामने आकर अपनी जेब से एक पेन निकाला और मुझसे बोला तुम दोनों इस फाइल पर साइन कर दो, तुम दोनों को बेल पर तुम्हारी माँ ने छुड़ा लिया है, उस पुलिसवाले की यह बात सुनकर रवि खुशी से काँपने लगा था, मैं उस पुलिसवाले की यह बात सुनकर खुश होने से ज्यादा चौंका था कि माँ ने आखिर यह सब क्यों किया और पैसे का इंतजाम कैसे किया होगा, आज मैं माँ के नाम को सही ढंग से समझ पाया था कि माँ अपनी संतान के लाखों अपराध क्षमा कर देती है, संतान चाहे उसका शरीर छलनी ही क्यो न कर दे, जैसे हमारी धरती माता, जो मनुष्य के दुष्कर्मों, मल-मूत्र, जहर आदि को चुपचाप अपने अन्दर समाहित कर लेती है, और बदले में हमें अपने आँचल में पालती है, वह सारी चीजें हमें बिन

माँगे ही मिल जाती हैं जिसकी हमें जरूरत होती है, तभी वहाँ एक पुलिसवाला और आया, उसने हम दोनों की आँखों पर पट्टी बाँध दी और हमें वहाँ से किसी मारूती से एक सड़क पर छोड़कर चले गये थे, मुझे लगा उन पुलिसवालों ने अपना गैरकानूनी अड्डा हमें न दिखाई पड़े, इसलिये आते समय मेरी और रवि की आँखों पर पट्टी बाँध दी थी और जाते समय पट्टी इसलिये नहीं बाँधी होगी कि उस समय घनघोर अंधेरा था, हम दोनों ने कई दिन बाद उस दिन आजादी महसूस की थी, चारों तरफ हमें खुला-खुला-सा वातावरण, हमारी आजादी दुनिया की सारी धन-दौलत, नाम-शोहरत, दुनिया के हर सुख से बड़ी लग रही थी, मैं सोच रहा था कि कितना दुखी महसूस करते होंगे वह पशु-पक्षी जिन्हें इंसान ने अपने शौक पूर्ति के लिये पिंजरे में कैद रखा है, यह सब कार्य इंसान अपने स्वार्थ के लिए करता है, भोले-भाले पशु-पक्षियों, कीट-पतंगों से यह इंसान हमेशा से छीनता हुआ ही आया है, प्रकृति ने, पशु-पक्षियों, हम सबको, बराबर का अधिकार दिया, लेकिन इंसान जैसे ही दूसरे जानवरों से ज्यादा बुद्धिमान क्या बना, उसने अपने से कम बुद्धिमान को मसलना शुरू कर दिया, उसने उन सबका विनाश इस धरती से करना शुरू कर दिया, जो इस दुनिया में उससे पहले आये थे, इंसान ने अपनी बुद्धि के बल पर केवल अपने बारे में ही सोचा, वह अपनी बुद्धि पर इतराने लगा, दूसरों का घर उजाड़ अपने आशियाने बनाने लगा और इंसान कामयाब भी हो गया। उसने दिनों-रात कोशिश कर दूसरे पशु-पक्षियों को लगभग हटा ही दिया है, यदि इंसान इसी तरह लगातार अपना प्रयास करता रहा, तब वह दिन दूर नहीं जब वह अपने-आप पशु-पक्षियों को इस दुनिया से साफ कर दे और अपने मकसद में कामयाब हो जाये। मैं सोचता-सोचता घर पहुँच गया था, रवि मेरे साथ था, वह मेरे साथ घर नहीं आना चाहता था क्योंकि घर आकर वह माँ से नजर कैसे मिला पाता, वह शर्म से मरा जा रहा था कि हम दोनों चोरी करके जेल गये हैं, अब कैसे माँ और अपनी दो छोटी बहनों को यकीन दिला पायेंगे कि हमने किस कारण यह कदम उठाया था, रवि की तरह मैं भी यही सोच रहा था कि माँ के सामने मैं कैसे जाऊँ,

मैं और रवि माँ के डर की वजह से घर के एक तरफ खड़े थे, इतने में माँ और मेरी दोनों बहनें वहाँ आ गयीं। माँ ने मुझे गले लगा लिया और रोने लगी थी, माँ के रोने पर मैंने माँ को चुपाते हुये कहा था कि हमने गलती से यह चोरी की थी, आज के बाद हम कोई भी ऐसा काम नहीं करेंगे जिससे आपका भरोसा हमसे हट जाये, इस गलती के लिये मुझे माफ कर दो माँ। मुझे माफी माँगते देख रवि भी माँ के गले लगकर रोने लगा और माँ से माफी माँगने लगा, माँ ने खुशी-खुशी हम दोनों को माफ कर दिया था। मैंने माँ से एक बात पूछी कि माँ तुम बताओ कि पैसे का इंतजाम तुमने कैसे किया था, माँ ने मेरी बात सुनकर कहा कि बेटा तेरी दोनों बहनों की शादी करने के लिये मैंने काफी समय से बैंक में यह पैसे जमा कर रखे थे, उस पुलिस वाले ने जैसे ही मुझे फोन पर तेरे पकड़े जाने की सूचना दी थी, मैंने बैंक से यह बंदोबस्त करवा लिया था, बैंक के मैनेजर साहब कई दिन की छुट्टी पर अपने घर चले गये थे, इसलिये पैसे का इंतजाम करने में इतना समय लग गया, मैंने माँ से कहा कि माँ तुम्हें मेरी बहनों की शादी के लिये जोड़े गये पैसे खर्च नहीं करने चाहिये थे। माँ ने मेरी बात सुनकर कहा कि तू मेरा बेटा है, तुझे बचाने के लिये अगर मुझे अपने खून का एक-एक कतरा भी बेचना पड़ता, तब भी मैं उसे बेचकर तुझे बचा लेती, माँ की यह बात सुनकर, उनका मेरे प्रति प्यार और जिम्मेदारी को देखकर मैं कायल हो रहा था, मैं सोच रहा था कि सिर्फ माँ का ही बेटे के लिये प्यार और जिम्मेदारी होती है, बेटे की माँ के प्रति कोई जिम्मेदारी नहीं होती, मैं यह सब इसलिये सोच रहा था कि मैं माँ के लिए अपनी दो बहनों के लिए कुछ नहीं कर पा रहा था और उल्टा मैं अपने परिवार पर बोझ बन रहा था, मगर मुझे यह विश्वास था कि मेरा प्रयोग जल्द ही पूरा हो जायेगा और प्रयोग पूरा होते ही सारे दुख दूर होते पल भर की भी देर न लगेगी, मैंने माँ को समझाते हुये कहा-माँ बस कुछ दिन की बात और है, हमारी सारी समस्याएँ जल्द दूर हो जायेंगीं, मेरे इतना कहने पर मेरी माँ और दोनों बहनें मुझे पागलों की तरह देख रही थीं और उन सबका मुझे इस तरह से देखना भी जायज था, क्योंकि मैं इन लोगों को कई साल से यही

समझाता चला आ रहा था कि जल्द ही मैं एक ऐसा आविष्कार करूँगा जिससे हमारे देश का और हमारा नाम रौशन हो जायेगा, हमारी सारी समस्याएँ समाप्त हो जायेंगीं, अब तो मेरी बात का घर में कोई भी भरोसा नहीं करता था।

घर पर सब ठीक हो गया था, अगले दिन मैं और रवि कॉलेज के लिए निकले, मैं सोच रहा था कि कॉलेज में लोगों को हमारी चोरी के बारे में पता नहीं होगा और यदि किसी को होगा भी तो हमें क्या, हमें तो लोगों की बातें सुनकर भी पढ़ना होगा, अपना प्रयोग आगे बढ़ाना होगा, हम जैसे ही कॉलेज में घुसे, लोग हमें घूर-घूरकर देख रहे थे, कुछ लोग दूर खड़े हम लोगों को देखकर हँस भी रहे थे, मैं समझ गया था कि वास्तव में कुछ है, इतने में ही किसी छात्र ने हमारे ऊपर चोर-चोर कहते हुये पत्थर फेंक कर मारा और फिर एक के बाद एक कई पत्थर हम लोगों पर मारे गये, इतने में मेरी कक्षा में पढ़ने वाले तीन-चार दबंग विद्यार्थियों ने मुझे और रवि को वहाँ घेर लिया और कहने लगे तुम दोनों चोरों का नाम इस कॉलेज से काट दिया गया है, तुम दोनों अब यहाँ से वापस जाकर चोरी के काम में ध्यान दो, उन लड़कों की बातें सुनकर मेरे पैरों तले जमीन खिसक गयी थी, मुझे लगा कि ये लोग झूठ बोल रहे होंगे, मुझे कॉलेज के प्रधानाचार्यजी से इस बारे में बात करनी चाहिये, मैं और रवि तुरंत वहाँ से प्रधानाचार्यजी के ऑफिस की तरफ भागे और मैंने प्रधानाचार्यजी से पूछा कि सर हमने चोरी इस विद्यालय में तो नहीं की फिर हमें इस विद्यालय से आप क्यों निकाल रहे हैं, मेरी बात सुनकर प्रधानाचार्यजी ने तिलमिलाते हुए कहा कि आज मि. अग्रवालजी के यहाँ चोरी की है, कल इस विद्यालय में करोगे, हम कोई रिस्क क्यों लें, प्रधानाचार्यजी की बात सुनकर मैंने और रवि ने बार-बार प्रधानाचार्यजी से माफी माँगी, तमाम वास्ते दिये, रोये-गिड़गिड़ाये लेकिन प्रधानाचार्यजी पर हमारी किसी बात का कोई असर नहीं पड़ा, हम दोनों वहाँ से चले आये, मुझे किसी के माध्यम से पता लगा कि मि. अग्रवाल जिनके घर मैंने और रवि ने चोरी की थी, वह प्रधानाचार्यजी के सगे रिश्तेदार थे, कॉलेज से घर जाते समय

हम दोनों रोते हुये जा रहे थे, मैं सोच रहा था कि मेरे चोरी करने से माँ को इतना बड़ा आघात लगा है, उसके बाद अगर मैं अपने कॉलेज से निकाले जाने की बात माँ को बताऊँगा तब माँ का क्या हाल होगा, मैंने रवि को समझाते हुये कहा कि कॉलेज से निकाले जाने की बात हम माँ को नहीं बतायेंगे, नहीं तो माँ का हौसला टूट जायेगा, अब मैं रवि के साथ रवि वाले कमरे में दुबारा से रहने लगा था, प्रयोग, हथियार बनाने की मेरी इच्छा बढ़ती ही जा रही थी, विद्यालय की प्रयोगशाला में रहकर हम कुछ प्रयोग करते रहते थे, मगर कॉलेज से निकाले जाने के बाद वह प्रयोगशाला भी जाती रही। चोरी जैसा गुनाह करने के बाद ही हम एक पैसे के वफादार नहीं थे। कभी-कभी मुझे लगता था कि प्रयोग को कैसे आगे बढ़ाऊँगा, अब प्रयोगशाला तक हमारे पास नहीं थी, नई प्रयोगशाला बनाने के पैसे हमारे पास नहीं थे, मैं सोच रहा था कि प्रयोगशाला बनाये बिना अब मैं कैसे प्रयोग कर पाऊँगा, कहाँ से मैं अब पैसे का इंतजाम करूँगा, हमने चोरी भी करके देख ली उसमें कोई भी फायदा नहीं, मुझे अब मेरा प्रयोग खतरे में जाता दिखाई दे रहा था, अगली सुबह मेरे पास घर से माँ का फोन आया, वह फोन पर कह रही थी कि उन्होंने मेरी दोनों बहनों का रिश्ता शहर के पास वाले गाँव में कर दिया है, दोनों लड़के एक ही घर के हैं, इसीलिये मेरी दोनों बहनों की शादी एक साथ और एक ही घर में हो रही है, दोनों लड़के ज्यादा खाते-पीते नहीं थे, लेकिन घर के खर्चे लायक वह आसानी से एक प्राइवेट कम्पनी में छोटी-सी नौकरी करके कमा लेते थे, वह लड़के फिलहाल मेरी दोनों बहनों को आसानी से कमाकर खिला सकते थे, यही सोचकर माँ ने मेरी दोनों बहनों का रिश्ता उन दोनों लड़कों से तय किया था, दहेज की बात भी माँ ने लड़कों वालों से साफ-साफ कर ली थी, लड़के वालों ने कहा था कि हम आपसे मोटरकार, मोटर साईकिल छोड़कर दहेज की बाकी सारी चीजें लेंगे, जिसमें टीवी, फ्रिज, कूलर आदि शामिल थे, माँ ने मुझे बताया कि तू तुरंत घर आ जा, हम आज या कल दहेज का सामान खरीद लेंगे और तू अपनी दोनों बहनों की लग्न लेकर परसों लड़के वालों के यहाँ चले जाना। अब यह काम भी

मैं कर लूँ, तो लोग क्या कहेंगे कि एक जवान लड़के के होते, एक बूढ़ी माँ, अपनी दो बेटियों की लग्न लेकर गयी? मैंने फोन पर माँ से कहा कि तुम परेशान मत हो, मैं थोड़ी देर में घर आ जाऊँगा। यह कहते ही मैंने फोन काट दिया, मैं सोच रहा था कि माँ को हम बच्चों की जिम्मेदारियों की कितनी चिन्ता होती है और बच्चों को माँ की इतनी चिन्ता होती है कि बड़े होकर वही बच्चे अपने माँ-बाप को घर से धक्के मारकर निकाल देते हैं, फिर बच्चों के लिए वह माँ-बाप किसी अनाथ आश्रम में तड़प-तड़पकर अपनी जिन्दगी काटें या सड़कों पर भीख मांगते-मांगते अपनी जान ही क्यों न दे दें, बच्चों को कोई फर्क नहीं पड़ता, मैंने माँ से कई बार कहा था कि मैं अपनी दोनों बहनों की शादी खुद करूँगा, लेकिन माँ खुद यह जिम्मेदारी अपने जीते-जी उठा लेना चाहती थी, या शायद वह मेरे प्रयोग, मेरी बातों पर विश्वास नहीं करती थी, मैं अपने आप से बहुत खफा था, क्योंकि मैं अपने परिवार के लिये कुछ नहीं कर पा रहा था और उल्टा मैं अपने परिवार पर एक बोझ की तरह था, मैं यही सोचता हुआ घर पहुँच चुका था, मैंने देखा माँ घर पर सफाई कर रही थी, उनके हाथ में झाड़ू थी, घर में आसपास की कुछ औरतें भी थीं जो आपस में बातें कर रही थीं, कुछ बच्चे घर के आँगन में खेल रहे थे, मेरी दोनों बहनें एक लड़की से बात कर रही थीं, उन दोनों के चेहरे पर आज साफ-साफ खुशी देखी जा सकती थी, मैंने माँ को देखा तो माँ ने कहा कि बेटा तेरा दोस्त रवि कहाँ है, तुम दोनों मिलकर आज कुछ काम ही निपटा लेते, मैंने माँ से कहा कि रवि शाम तक यहाँ आ जायेगा, उसे मार्केट में कोई काम था इसलिये वह मेरे साथ नहीं आ सका, तुम मुझे ही बता दो क्या काम है? मैं अकेले ही वह काम निपटा दूँगा। माँ ने दबी आवाज में मुझसे कहा कि मैं बताती हूँ, तुम एक कागज पर दहेज का सारा सामान लिख लो, बाद में हम कल यह सारा सामान मार्किट से खरीद लेंगे और अगले दिन तुम और रवि लग्न का यह सामान लेकर लड़के वालों के घर चले जाना, लग्न की तारीख परसों की है, अब जल्दी-जल्दी हम घर के सारे काम निपटा लें, मैंने माँ के बताये हुये सामान की लिस्ट बना ली और अपनी

जेब में रख ली। माँ तुरन्त वहाँ से कमरे की तरफ गयी, मैं माँ से कमरे में यह पूछने गया कि माँ इस लिस्ट में और कुछ घटाना-बढ़ाना तो नहीं, मैं कमरे में जैसे ही घुसा मैंने देखा कि माँ नोटों की कुछ गड्डियाँ गिनकर एक पुरानी-सी कपड़ों की अलमारी में रख रही थी, वह पैसे माँ ने मेरी दोनों बहनों की शादी के लिए इकट्ठा किये होंगे। माँ ने जैसे ही मेरी तरफ को देखा एकाएक मैं उनसे बोला कि माँ, इस दहेज वाली लिस्ट में कुछ घटाना-बढ़ाना तो नहीं है, इस पर माँ ने रूखे स्वर में कहा कि नहीं बस इतना ही काफी है, और अगर लड़के वाले कुछ नाक-मुँह फुलायेंगे तब हम उनके सामने हाथ जोड़कर विनती कर लेंगे कि जो भी दहेज है यह है, कृपा करके इसे स्वीकार कर लीजिये, मैं सोच रहा था कि हम लोग अपनी बहनों-बेटियों को पढ़ा-लिखाकर शादी करके दूसरे घर भेज देते हैं, अनजान लोगों पर भरोसा कर अपने घर की इज्जत उनके हवाले कर दी जाती है, वर पक्ष इतने से ही संतुष्ट नहीं होता और ऊपर से दहेज भी ले जाता है, भले से दहेज के लिये बहन-बेटी वाले को बिकना ही क्यों न पड़े, वर पक्ष को इससे कोई फर्क नहीं पड़ता, बहुत से दहेज के लोभी तो इतने नीच और गिरे हुये होते हैं कि बार-बार दहेज की मनमानी माँग पूरी न होने पर, दूसरों की बहन-बेटियों को स्वार्थवश जिन्दा जलाने तक से बाज नहीं आते। माँ उस कपड़े की अलमारी में पैसे छुपाकर वहाँ से बाहर को चली गयी, मैं भी अलमारी के पास खड़ा क्या करता, वहाँ से अपने घर के आँगन में आकर बैठ गया, मेरा ध्यान एकाएक माँ के अलमारी में रखे पैसों पर बार-बार जा रहा था, शायद मि. अग्रवालजी के घर पर चोरी करके, मेरा मन बार-बार चोरी करने को कहता था, मैं सोचता था कि मेरे प्रयोग के लिये अब कहीं ऐसी जगह से पैसा मिल जाये जहाँ से मैं पकड़ा भी न जा सकूँ, माँ ने जो पैसे मेरी बहनों की शादी के लिए अलमारी में रखे थे, उन्हें देखकर मेरा मन रक्षक की जगह भक्षक हो गया था, मेरे अन्दर उस समय दो भावनायें चल रही थीं, एक अच्छी एक बुरी, अच्छी भावना कहती कि माँ ने पता नहीं कैसे-कैसे जिन्दगी भर जोड़कर मेरी बहनों की शादी के लिये यह इकट्ठे किये हैं, मेरे पिताजी

के स्वर्गवासी होने के बाद मेरी दोनों बहनों की शादी जबकि मुझे पैसे जोड़कर करनी चाहिये थी, माँ ने मेरी सारी जिम्मेदारियाँ इस बुढ़ापे में भी अपने सर ले ली थीं, माँ ने कभी अपनी जिम्मेदारियों से मुँह नहीं मोड़ा था और एक मैं उनका बेटा जो राम बनने के बजाय रावण बनने जा रहा था, मैं आज ऐसा घिनौना काम करने जा रहा था, जो मेरी माँ-बहनों की हत्या करने से भी ज्यादा घिनौना लग रहा था, क्योंकि किसी की हत्या होने के बाद वो इस दुनिया के ताने नहीं सुन पाता और जीते जी वह जीने वाला इस दुनिया की गालियाँ सुनता रहता है, भगवान से मुक्ति माँगता है। बहुत-से बेचारे तो तंग आकर आत्महत्या तक कर लेते हैं, वैसा ही मेरे घर में भी हो सकता था, मैं घर में रखे पैसे यदि चुरा लेता तो मेरी दोनों बहनों का रिश्ता टूट जाता और फिर घर में न जाने क्या होता, मुझे अपने ही घर में चोरी नहीं करनी चाहिये, इस चोरी को करने से अच्छा तो यह था कि मैं अपना प्रयोग ही समाप्त कर दूँ, मैं अपने ही घर में चोरी नहीं कर पाऊँगा। मेरे अन्दर की बुरी भावना यह कह रही थी कि मैंने पूरी जिन्दगी अपने इस प्रयोग को सफल बनाने में लगा दी, इतने सारे दुख झेलने के बाद अब इस प्रयोग के नतीजे आने से कुछ समय पहले ही मैं यह प्रयोग कैसे समाप्त कर दूँ, मैं अपने देश के लिये कुछ करना चाहता हूँ, मैंने कुछ भी करके यह प्रयोग यदि सफल कर दिया, तब पूरी दुनिया मेरा देश, मेरा परिवार सबकुछ भूलकर मुझ पर नाज करेंगे, मेरा प्रयोग जल्द ही सफल हो सकता है, प्रयोग सफल होते ही मैं अपने घर से चुराये गये पैसों के बदले अपनी बहनों का रिश्ता बहुत अच्छी जगह कर दूँगा और फिर सबकुछ ठीक हो जायेगा। मेरा मन बेचैन था, मैं फैसला नहीं ले पा रहा था कि मुझे क्या करना चाहिये क्या नहीं? यही सोचते-सोचते मुझे रात के दस बज गये थे, मुझे अलमारी में रखे पैसों के अलावा कुछ नहीं दिख रहा था, मेरा ध्यान एक पल भी उस अलमारी से नहीं हटा था, जैसे-जैसे रात बढ़ती जा रही थी, मेरी बेचैनी भी बढ़ रही थी, रात के दो बज चुके थे, घर में सब काम की थकान के चलते गहरी नींद में चले गये थे, तभी मेरे अन्दर के दानव ने मुझे अलमारी में रखे पैसे

चुराने का जैसे आदेश दे दिया हो, आज मेरे अन्दर की बुराई ने अच्छाई को मार दिया था। मैंने अपनी अन्तरात्मा की आवाज दबा दी थी, आज मैं उन्हीं पेशेवर अपराधियों की तरह हो गया था जो अपनी अन्तरात्मा की बात न सुनकर अपराध कर डालते हैं और अपनी और अपने साथ-साथ दूसरों की जिन्दगी तबाह कर देते हैं, बाद में उसका पछतावा करने के लिये जिन्दगी भर रोते रहते हैं, आज मैं भी कुछ ऐसा ही करने वाला था। मैं चुपचाप बिस्तर से उठा और माँ को देखा, वो सो रही थी, मैं वहाँ से कमरे में रखी कपड़ों की उस अलमारी के पास पहुँच गया जिसमें माँ ने छुपाकर वह पैसे रखे थे, मैंने चुपचाप उस अलमारी को खोला, अलमारी साधारण पुराने जमाने की थी, उसमें कोई ऐसा लॉक नहीं था जो किसी चाबी से ही खुलता, उस अलमारी का एक हत्था था, जो ऊपर-नीचे करके अलमारी खुल जाती थी, मैंने अलमारी में देखा कि कुछ कपड़ों में नोटों की कुछ गड्डियाँ माँ ने छुपाकर रखी हुई थी, मैंने नोटों की वह गड्डियाँ तुरंत एक कपड़े में रख ली और वहाँ से मैं अलमारी बंद करके निकलने लगा, मेरा दिल ये सब करते हुये जोर-जोर से धड़क रहा था, ऐसा लग रहा था जैसे मेरा दिल फट ही जायेगा, सबसे बड़ी चिंता इस बात की थी कि अगर माँ जागकर मेरे सामने आ गयी तो क्या होगा? माँ की बात का तो मैं जबाब ही नहीं दे पाऊँगा, माँ के सामने आकर तो शायद मर जाना ही बेहतर होगा, मेरी अपनी माँ और बहनों के साथ इतना बड़ा विश्वासघात करके उनके सामने जाने की हिम्मत नहीं थी, इसलिये मैंने अपनी माँ और बहनों के नाम अलमारी में एक पत्र लिखकर रख दिया था ताकि सुबह होने पर उन्हें मेरी काली करतूतों का कच्चा-चिट्ठा मिल जाये, ताकि माँ मुझ जैसे नालायक बेटे को छोड़कर किसी दूसरे पर पैसों की चोरी का इल्जाम न लगा सके, मैंने अलमारी में रखे पत्र में लिख दिया था कि मेरी माँ और दोनों बहनें मुझे माफ तो नहीं कर पायेंगी लेकिन मैं आप सब से किये गये विश्वासघात के बदले जल्द ही अच्छा समय लेकर लौटूँगा, यह मेरा आप सब लोगों से वादा रहा, आप सब बस थोड़ा समय इंतजार कर लो, मैं इस लायक भी नहीं हूँ कि आप लोगों से माफी भी

माँग सकूँ, जल्द ही आप लोगों से फिर मिलूँगा, लेकिन इस बार आप लोगों को मुझसे मिलते हुये शर्म नहीं, गर्व महसूस होगा, मैंने घर से निकल रवि को रात में ही फोन पर बताया कि रवि पैसों का इंतजाम हो गया है, तू मुझे रास्ते में कहीं मिल जा, कभी कोई यह पैसा मुझसे लूट न ले, रवि ने मेरी बात सुनकर जबाब दिया कि मैं जल्द दौड़कर तुम्हारे पास आ रहा हूँ, रात के लगभग साढ़े तीन बजे होंगे, मैं अकेला उस सुनसान रास्ते पर आगे बढ़ा जा रहा था, मेरे हाथ में एक कपड़े में बँधे नोटों की कुछ गड्डियाँ थीं, मैंने कपड़े में रखे वो पैसे अब तक नहीं गिने थे, मेरा दिल जोर–जोर से धड़क रहा था कि कहीं वास्तव में कोई चोर यह पैसे मुझसे छीनकर न ले जाये, मैं यह सब सोच ही रहा था कि इतने में मैंने देखा कि रवि वहाँ दौड़ा चला आ रहा था, रवि को वहाँ देखकर मैंने थोड़ी राहत की साँस ली, बाद में हम दोनों रवि के कमरे की तरफ चल दिये, लगभग दस मिनट के बाद हम दोनों रवि के कमरे में पहुँच गये, कमरे पर पहुँचने के बाद रवि ने मुझसे पूछा कि मैंने पैसे कहाँ से इकट्ठे किये हैं या वास्तव में कहीं से चोरी की है, रवि के इस सवाल पर मैं मन ही मन सकपका गया, मैं रवि से अपने ही घर में चोरी जैसी घिनौनी बात को छुपाना चाहता था, मैंने रवि को चुपाते हुए जबाब दिया, हमें पैसे की बड़ी सख्त जरूरत थी, अब मैंने चोरी करके इकट्ठा किया है या जुटाकर इससे क्या फर्क पड़ता है, कम से कम पैसे के माध्यम से हमारा काम तो पूरा हो सकेगा, और वैसे भी यह पैसा ऐसी जगह का है जहाँ से हमें पुलिस भी नहीं पकड़ पायेगी, मेरी यह बात सुनकर रवि चुप हो गया, शायद वह यह सोच रहा होगा कि भला ऐसी कौन–सी चोरी है जिसमें पुलिस चोर को नहीं पकड़ती है, रवि बेचारा इस बात से बिल्कुल अनजान था कि मैंने अपनों के ही विश्वास का कत्ल कर यह पैसा चुराया है, मैं रवि को अपना प्रयोग सफल होने तक यह बात नहीं बताने वाला था, अगर मैं रवि को अपने ही घर से पैसे चुराने के बारे में बताता तो शायद रवि मुझ पर से अपना विश्वास ही उठा देता। मैंने घर से चुराये पैसे गिने, वह तीन लाख थे, रवि उन पैसों को देखकर उछल पड़ा और बोला कि

अब हमारी प्रयोगशाला के लिए सारा सामान इस पैसे से आ सकेगा, अब हमें तुरन्त प्रयोग का सामान खरीद लेना चाहिये, मैंने रवि से सलाह-मशवरा करके अपने प्रयोगशाला के लिए आवश्यक सामान की लिस्ट तैयार की और अगले दिन हम दोनों एक बड़े शहर में अपनी प्रयोगशाला का सामान खरीदने एक दुकानदार के पास पहुँचे, मैंने दुकान पर पहुँचकर उस दुकानदार के हाथ में अपनी सामान वाली लिस्ट दे दी, दुकानदार ने उस लिस्ट को पढ़कर मुझसे कहा कि इस लिस्ट में लिखा हर सामान आपको मिल जायेगा, सिवाय तीन गैसों के, दुकानदार की यह बात सुनकर मैं चकित रह गया क्योंकि वह दुकानदार जिन गैसों को देने से इंकार कर रहा था, वास्तव में पूरा प्रयोग उन्हीं तीन गैसों पर आधारित था, मैंने दुबारा उस दुकानदार से दबे हुये स्वर में कहा कि यह तीन गैसें भी हमारे लिये उतनी ही जरूरी हैं जितना और सामान, हो सके तो यह गैसें हमें दिलवा दीजिये आपका बड़ा एहसान होगा। मेरी यह बात सुनकर वह दुकानदार मुझपर चिल्ला पड़ा और बोला कि तुम समझते क्यों नहीं हो, यह तीनों गैसें सरकारी विभागों को केवल बाँटी जाती हैं, इन गैसों का कोटा सरकार के पास ही होता है, सरकार के अलावा यह किसी और दुकानदार के द्वारा बेचना गैरकानूनी होता है, इसलिये यह हमारे पास कहाँ से आयेंगी, मैं उस दुकानदार की बात सुनकर चुप हो गया और रवि को वहाँ से चलने के लिये कहा, हम जैसे ही चार कदम उस दुकान से वापस मुड़े, मैंने देखा कि उस दुकानदार ने एक आदमी हमारी तरफ भेजा, उस आदमी ने मुझे एक कोने में ले जाकर धीरे से मेरे कान में कहा कि तुम्हें तीनों गैसें मिल जायेंगी, लेकिन ब्लैक में हर गैस का ड्रम एक-एक लाख का पड़ेगा, यानि कुल मिलाकर तीनों गैसों का कुल दाम तीन लाख रूपये देना होगा और आपकी लिस्ट में लिखा प्रयोग का बाकी सामान आपको दो लाख में पड़ेगा, यानि कि टोटल समान खरीदने के लिये आपको पाँच लाख रूपये देने होंगे, अगर चाहिये तो तुरंत बताइये। मैं उस दुकानदार की बात सुनकर खुश भी था और दुखी भी, खुश इस वजह से था कि हमारी गैसें आखिरकार यहाँ मिल जायेंगी, जिससे हम अपना प्रयोग आगे

बढ़ा सकेंगे और दुखी इस बात को लेकर था कि पूरा सामान खरीदने के लिये हमारे पास इतनी रकम नहीं थी, हमारे पास मेरे घर से चुराये गये केवल तीन लाख रूपये ही थे, अब मैं यदि तीन लाख का ही सामान खरीदता तब वह अधूरा होता और पूरा सामान खरीदने के लिये दो लाख और रूपयों की जरूरत थी, बड़ी मुश्किल से इन तीन लाख रूपयों का इंतजाम हो पाया था, मुझे यह मालूम नहीं था कि प्रयोगशाला में इस्तेमाल होने वाला सामान इतना ज्यादा महँगा आता होगा, तभी रवि ने कान में कहा कि हो सकता है यह दुकानदार हमसे इस सामान के ज्यादा पैसे माँग रहा हो, हमें इस दुकानदार के अलावा दूसरे दुकानदारों से इस सामान का रेट जानना चाहिये, हम बहुत बड़े शहर में हैं, रेट जानने में भला हर्ज ही क्या है, मैंने रवि की बात मान ली और उस दुकानदार से यह कह दिया कि हम कुछ देर में आपको इसका जबाब देंगे, इतना कहकर हम दोनों उस सामान की कीमत का जायजा लेने निकल पड़े, हमने तमाम दुकानें छान मारी लेकिन कोई भी हमें किसी भी कीमत पर वो गैसें देने को तैयार नहीं था, आखिरकार हम थकहारकर उसी दुकानदार के पास आ गये जहाँ से गये थे, शायद वो दुकानदार समझ गया था कि हम लोग बाजार में सामान की कीमत का जायजा लेने गये थे, एकाएक उस दुकानदार ने मुझसे थोड़ा चिढ़ते हुये कहा कि तुम्हारा सारा सामान हम इंतजाम करके लगभग 15 दिन में दे देंगे, तुम लोग सारा पैसा यानि पाँच लाख रूपये एडवांस जमा कर जाओ, दुकानदार की बात सुनकर मैंने दुकानदार से निवेदन करते हुये कहा कि श्रीमानजी अभी तो आप केवल तीन लाख रूपये ही ले लीजिये, बाकी का जिस दिन हम लोग समान उठाने आयेंगे, आप सामान उठाने से पहले ले लीजियेगा, अगर हम आपका पैसा न दें, तब आप हमें कोई भी सामान मत दीजियेगा, मेरी यह बात सुनकर उस दुकानदार ने मुझसे तीन लाख रूपये लेकर अपने पास रख लिये और मुझसे 15 दिन बाद आकर अपने दो लाख रूपये जमाकर सारा सामान ले जाने को कहा, मैं उस दुकानदार से बात करके रवि के साथ वापस लौटने लगा तो रवि ने मुझसे कड़ककर पूछा कि तुम दो लाख रूपये और कहाँ से

दोगे, यह तीन लाख रूपये जो हमारे पास थे, वह तुमने उस दुकानदार को देकर फँसा दिये, अब न हमारे पास उसे देने के लिये बाकी दो लाख रूपये होंगे और न ही वह हमारे दिये पैसे लौटायेंगे और न ही हमें उन पैसों का सामान ही देगा, अब हम तो दोनों तरफ से ही फँस गये हैं, मैंने रवि की बात का जबाब दिया कि हमें 15 दिन का समय मिला है, भरोसा रखो कहीं न कहीं से पैसों का इंतजाम हो ही जायेगा, मेरी बात सुनकर रवि मेरा चेहरा देख रहा था, जैसे मैं कोई पागल हूँ।

हम दोनों रवि के कमरे पर अगले दिन वापस आ गये थे, रवि बार-बार मुझसे एक सवाल पूछ रहा था कि पैसों का इंतजाम कैसे होगा, मैंने रवि से पता नहीं किसके भरोसे पैसों के लिये हाँ कर दी थी, मेरे अन्दर से शायद उस समय बार-बार एक उत्तर आ रहा था कि पैसों का कहीं न कहीं से इंतजाम हो जायेगा, इसी सोच के चलते मैंने दुकानदार को बाकी के पैसों के लिये हामी भर दी थी और रवि को भी इसी बात के चलते मैं बार-बार तसल्ली दे रहा था, मगर शायद यह एक झूठी तसल्ली ही थी, वास्तव में पैसों का इंतजाम कैसे सम्भव हो पायेगा, यही सोच मुझ पर भारी पड़ रही थी, अब तक हमने पैसों के लिये बड़े-बड़े गन्दे काम किये थे अब और कोई गन्दा काम जिससे किसी का दिल दुखे करने का मेरा कोई इरादा नहीं था, लेकिन ऐसा कौन-सा तरीका था जिससे बिना किसी का दिल दुखाये बाकी के पैसों का इंतजाम हो सकता, मैं समझ नहीं पा रहा था, क्या करूँ? दिल बेचैन रहता था, भूख जैसे खत्म-सी हो गयी थी, मेरे शरीर में केवल ढाँचा ही शेष रह गया था, मुझे बार-बार केवल एक ही बात खाये जा रही थी कि मैंने इस प्रयोग को पूरा करने के लिए इतने सारे प्रयास किये, अपनों को खुद से दूर कर दिया, अपनी जिन्दगी का इतना बड़ा समय इस प्रयोग में लगा दिया, यहाँ तक कि मैंने अपने दोस्त रवि की जिन्दगी भी इस परमाणु प्रयोग के नाम पर खराब कर दी, वास्तव में मैं जहाँ से चला था आज उससे भी पीछे था, क्योंकि इस प्रयोग को शुरू करने से पहले मेरा परिवार मेरे साथ था, समाज में थोड़ी-बहुत इज्जत भी थी, जिन्दगी कामयाब बनाने के लिए पढ़ाई थी, लेकिन आज यह सब मैं खो चुका

हूँ, अब मैं क्या करूँ, यह प्रयोग तो हर हालत में मुझे सफल बनाना ही होगा, इतना सब करकर मैं कायरों की तरह मुसीबतों से डरकर यह प्रयोग बीच में नहीं छोड़ सकता, मैं यह प्रयोग सफल बनाकर ही रहूँगा, इसके लिये चाहे मेरी जान ही क्यों न चली जाये। उस दुकानदार से किये गये वादे के अनुसार आज चार दिन हो गये थे, हमारे पास 11 दिन का समय और शेष रह गया था, पैसों का अभी तक हमारे पास कोई इंतजाम नहीं था और होता भी कहाँ से, कोई पैसों का पेड़ तो हमारे पास था नहीं, मेरी परेशानी दिन व दिन बढ़ती जा रही थी, सुबह का समय था, मैं रवि के कमरे की सफाई कर रहा था, मैंने वहाँ एक कई दिन पुराने अखबार का एक फटा पेज देखा, उस पेज को देखते ही मुझे पैसों के बंदोबस्त की थोड़ी सम्भावना दिखी, उस अखबार के पेज में लिखा था कि हमें एक स्वस्थ्य आदमी की एक किडनी चाहिये, किडनी देने वाले को किडनी की कीमत तीन लाख रूपये दी जायेगी, इच्छुक किडनी दाता तुरन्त सम्पर्क करें। उस विज्ञापन में किडनी लेने वाले का नंबर भी लिखा हुआ था, मैंने तुरन्त अपने मोबाइल से उस किडनी लेने वाले को फोन किया, किडनी लेने वाले ने मुझे बताया कि आपकी किडनी हम ले लेंगे और आपको तुरंत तीन लाख रूपये भी मिल जायेंगे, लेकिन आपकी किडनी स्वस्थ्य होनी चाहिये, मैंने खुश होकर उस किडनी लेने वाले से कहा कि मैं आपको किडनी देने के लिए पूरी तरह से तैयार हूँ, लेकिन मुझे आपसे मिलने कहाँ आना होगा, तब उस किडनी वाले ने मुझे बताया कि तुम आज शाम को सिटी अस्पताल में मुझसे मिल लो, वहीं तुम अपनी किडनी हमें दे देना और अपना पैसा भी वहीं ले लेना, मैंने उस किडनी लेने वाले से शाम को आने का कहकर फोन काट दिया। मेरी जो बातें उस किडनी लेने वाले से हुई थी, वह बातें रवि मेरे पीछे खड़ा होकर सुन रहा था, रवि मुझसे कहने लगा कि तुम अपने शरीर की किडनी बेच रहे हो, यह सब गलत है, मैंने रवि को जबाब दिया कि हम किसी की चोरी तो नहीं कर रहे हैं, किसी अपने के विश्वास का कत्ल तो नहीं कर रहे हैं, अपनी खुद की किडनी बेचने में फिर भला हर्ज ही क्या है और इससे हमारी सारी

जरूरतें पूरी हो जायेंगी, भगवान ने हमें यह बहुत ही अच्छा मौका दिया है और वैसे भी भगवान ने इंसानों को एक की बजाय दो किडनी दी हैं, उसमें अगर कोई हम जैसा जरूरतमंद एक किडनी बेच भी दे तब भी पूरा शरीर एक किडनी से भी चल सकता है और यह तो बस एक किडनी बेचने की बात है, इस प्रयोग को पूरा करने के लिये मुझे अगर अपने शरीर का एक हिस्सा भी बेचना पड़ता तब भी मेरे लिये पल भर की बात होती, मैंने रवि को एक बार फिर ढांढस बँधाते हुये कहा कि तुम बिल्कुल भी परेशान मत होओ, हम आज शाम को उस अस्पताल चलेंगे, मैं वहाँ अपनी किडनी बेच दूँगा और तुम उस किडनी खरीदने वाले से पैसे लेकर अपने पास रख लेना, शाम का समय हो चुका था, मैं और रवि उस किडनी खरीदने वाले के बताये गये सिटी अस्पताल में पहुँच गये, उस किडनी खरीदने वाले से हमने बातचीत की, उसने बताया कि उसका भाई बीमार है, मौत के मुँह में पड़ा है उसके लिये किडनी खरीदने वाले को एक किडनी चाहिये थी, मैंने उस किडनी खरीदने वाले से पूछा कि आपके भाई की दोनों किडनियाँ कैसे खराब हो गयीं, मेरे पूछने पर उस किडनी खरीदने वाले ने बताया कि उसका भाई जो किडनी खरीदने वाले से छोटा था, घर में सबका लाडला था, उसने 10 वर्ष की आयु से ही बीड़ी, सिगरेट, शराब जैसे लगभग सभी शौक पाल रखे थे, घर में लाडला होने के चलते उसकी आदतों को सभी ने नजरअंदाज करना शुरू कर दिया था, धीरे-धीरे उसके शौक बढ़ते चले गये, 20 वर्ष की आयु होने पर ही वह बूढ़ों की तरह लगने लगा था, इसलिये उसकी जल्द शादी करा दी, शादी के बाद उसके दो बच्चे भी हुये, बाद में हम लोगों ने मेरे भाई को लाख समझाया कि वह गुटका, तम्बाकू, शराब आदि का सेवन बिल्कुल न करे, नहीं तो जल्द ही मौत को गले लगा लेगा, अपने बीबी-बच्चों को अनाथ बना देगा, उसकी बीबी भी लगातार उससे हाथ जोड़कर यही प्रार्थना करती रहती थी कि वह जल्द ही यह छोड़कर अपने परिवार की तरफ ध्यान दे, नहीं तो वह अपनी इन गन्दी आदतों के चलते मरेगा खुद लेकिन कीमत चुकानी होगी उसके बीबी-बच्चों को, उसके परिवार को, मगर किसी

की भी बात का उस किडनी खरीदने वाले के भाई पर कोई फर्क नहीं पड़ा, लगातार उसकी आदत बढ़ती चली गयीं और महज 25 वर्ष की अल्पायु में ही उसका शरीर जबाब दे गया, उसकी दोनों किडनी पूरी तरह से खराब हो गयीं, अब उसके शरीर में साँसें बाकी थीं, डॉक्टर साहब ने उसके बारे में साफ कह दिया था कि यदि किसी स्वस्थ्य आदमी की किडनी उसे लगा दी जाये तो शायद कुछ दिन वह और जी सके, किडनी खरीदने वाले की बात सुनकर मैं सोचने लगा कि कितने नादान होते हैं वह लोग जो खुद अपनी ही जान के दुश्मन बन जाते हैं, एक तो अपनी खून-पसीने की गाढ़ी कमाई से नशे का सामान खरीदकर उल्टे खुद ही उनका सेवन कर अपनी ही जान दाँव पर लगा देते हैं, अगर सिर्फ अनपढ़ और नादानों की बात की जाये कि वह नादानी में इनका सेवन करते हैं तब एक बार को माना जा सकता है, लेकिन जब पढ़ा-लिखा देश का जिम्मेदार नागरिक जिनके कन्धों पर देश का भविष्य निर्भर करता है, जो देश के कर्णाधार हैं, अगर वो नशे-धुएँ में अपनी जिन्दगी बर्बाद करेगा तो कैसे उसका बेजान शरीर इस देश की जिम्मेदारियाँ उठायेगा, अपने परिवार का पालन-पोषण किसके बलबूते करेगा, नशे-धुएं में अपनी जिन्दगी बर्बाद करने वाला इंसान जो सही से अपने पैरों पर खड़ा नहीं हो पाता, वह जो सही से अपने पैरों पर अपना भार तक नहीं उठा पाता, वह कैसे अपने परिवार का, अपने देश का भार उठा पायेगा, हम सब खुद को भारतवासी कहते हैं, भारतवासी होने का एक मतलब यह भी है कि हम मरते दम तक अपने देश की रक्षा करेंगे, लेकिन अगर हम थोड़ा-सा सोचें तो अन्तरात्मा से हमें एक आवाज आयेगी कि हम रात-दिन नशीले पदार्थ इस्तेमाल कर अपनी खुद की ही जान ले लेते हैं फिर कौन और कैसे इस देश की रक्षा कर पायेगा, इसका सीधा-सीधा मतलब यही है कि जब हम खुद की ही रक्षा नहीं कर पायेंगे तो फिर देश की रक्षा तो बहुत बड़ी बात है, हम यह सब नशीली चीजों को आखिर क्यों खा-पी रहे हैं, अगर हमें वास्तव में कुछ खाना ही है तो गम खायें और अगर कुछ पीना ही है तो सब्र का घूँट पीयें, जिससे कि हम सबकी, हमारे देश की तरक्की हो, मैंने

सोचा कि हमारे देश की सरकार प्रजा का भला चाहने वाली है, शायद यह सब नशीले पदार्थ सरकार से चोरी-छिपे बिक रहे होंगे, हम नागरिकों की बनाई सरकार भला क्यों इन सब नशीले पदार्थों की बिक्री की छूट कैसे दे सकती है, कैसे हमारी सरकार महज कुछ पैसों के लिये नशा बेचकर लोगों की जिन्दगी तबाह कर सकती है, मैंने अपने देश के प्रधानमंत्रीजी को कई बार भाषण देते सुना है, वह अपने भाषण में कहते हैं कि वह हर हिन्दुस्तानी से प्यार करते हैं, सब हिन्दुस्तानी उनके भाई-बहन हैं, फिर वह कैसे अपने भाई-बहनों को जहर खाने के लिये छोड़ देंगे, मैं यह नहीं समझ पा रहा हूँ, मेरी यह बात सुनकर वह किडनी खरीदने वाला मुझ पर हँस कर बोला कि कितने नादान हैं आप भाई साहब जो नशीले पदार्थ की बिक्री के बारे में कोई जानकारी नहीं रखते हैं, वास्तव में जैसा आप सोच रहे हैं ऐसा कुछ भी नहीं है, दरअसल जितने भी नशीले पदार्थ आज देश में खुलेआम धड़ल्ले-से बिक रहे हैं, वह चोरी-छुपे नहीं बल्कि हमारे देश की सरकार की निगरानी में बिक रहे हैं, हर जहर हर नशीला पदार्थ आज हर जगह बिक रहा है और सिर्फ पैसे के लिये सरकार यह सब बिकवा रही है, उसके लिये कोई जीये या मरे, इससे सरकार को कोई फर्क नहीं पड़ता, सरकार चाहे तो यह बिक्री बंद करवाकर, ये सब समाप्त ही कर दे, नशीले पदार्थों का उत्पादन बन्द होने पर फिर कैसे भला कोई नशा खरीद पायेगा, हिन्दी में एक कहावत प्रचलित है कि न होगा बांस न बजेगी बाँसुरी, लेकिन इन सबके ऊपर एक चीज है वह है, पैसे का लालच, फिर चाहे वह कोई आम आदमी हो या हमारी सरकार।

उस किडनी खरीदने वाले की बात सुनकर मैं चौंक पड़ा, मैं चुपचाप सोच रहा था कि आखिर हमारा सुख-दुख बाँटने वाली सरकार कैसे यह सब कर सकती है, लेकिन मुझे किडनी खरीदने वाले की बात पर यकीन हो गया था, वास्तव में मेरे दिमाग पर बहम की चादर पड़ी थी, जो आज उस किडनी खरीदने वाले ने हटा दी थी। इतने में मैंने देखा कि एक डॉक्टर वहाँ आया और उस किडनी खरीदने वाले से बोला कि किडनी देने वाले कहाँ हैं, इस पर उस किडनी खरीदने वाले

ने मेरी तरफ इशारा करते हुये कहा कि यह है मि. सूरज जो हमें किडनी देंगे, इतना सुनते ही वह डॉक्टर मुझे ऑपरेशन थियेटर जैसे लगने वाले एक कमरे में ले गया और मेरा प्राइमरी चेक-अप करने लगा, कुछ देर चेक-अप करने के बाद वह डॉक्टर बोला कि सब ठीक है तुम्हारी किडनी निकाली जा सकती है, यह बात उस डॉक्टर ने उस किडनी खरीदने वाले को भी बता दी, वह मुझसे भी ज्यादा खुश लग रहा था, क्योंकि हम सबकी जरूरतें पूरी हो रही थीं, मेरी पैसे की जरूरत और उसकी किडनी की जरूरतें पूरी हो रही थीं, इतने में उस किडनी खरीदने वाले ने मुस्कुराते हुये मुझसे कहा कि किडनी के निकालने के बाद आप तो बेहोश हो जायेंगे, फिर मैं यह पैसा किसे दे सकता हूँ, आपका कोई घरवाला या रिश्तेदार है जिसे मैं आपके सामने यह तीन लाख रूपये दे सकूँ। उस किडनी खरीदने वाले की बात सुनकर मैंने पास में ही खड़े हुये अपने दोस्त रवि को वो पैसे देने के लिए कहा, उस किडनी खरीदने वाले ने मेरे सामने रवि को तीन लाख रूपये दे दिये, पैसे मिलने के बाद मैंने रवि से कहा कि रवि हो सकता है मैं कई दिनों तक अस्पताल में ही पड़ा रहूँ, तू कल जरूर से जरूर उस दुकानदार के पास चले जाना जहाँ से हमारी प्रयोगशाला का सामान आना है, उसके शेष दो लाख रूपये देकर सारा सामान लाकर अपने कमरे में रख लेना और इन तीन लाख रूपये में से बचे एक लाख रूपये अपने पास बड़ा सम्भाल कर रखना, मेरी बात सुनकर रवि वहाँ से चला गया, डॉक्टर मुझे दोबारा उसी ऑपरेशन थियेटर में ले गया, डॉक्टर ने मुझे एक बेड पर लिटा दिया और एक इंजेक्शन मेरी बाँह में लगा दिया। इंजेक्शन लगाते ही मेरा सर भारी होने लगा, मैंने पास में खड़े डॉक्टर साहब से इसका कारण जानना चाहा तब उन्होंने मुझे समझाते हुये कहा कि चिंता की कोई बात नहीं है, आप बेहोश हो रहे हैं और ऑपरेशन के बाद आपको होश आ जायेगा। काफी समय बाद मुझे होश आया, मैंने देखा मेरे सामने रवि और वह किडनी खरीदने वाला खड़े थे, मेरे होश में आने के बाद वह दोनों काफी खुश नजर आ रहे थे, वह किडनी खरीदने वाला इस बात को लेकर खुश था कि मेरी किडनी निकालकर

उसके भाई को लगा दी गयी थी, रवि ने मेरे पास आकर बताया कि वह कल शहर से प्रयोगशाला का सामान ले आया था और वह सामान प्रयोगशाला में तब्दील भी कर दिया गया था, रवि की यह बात सुनकर मैं खुशी से उछल पड़ा, आज हमें अपने प्रयोग को सफल करने का रास्ता नजर आ गया था, मैं बस झटपट अपनी प्रयोगशाला पर पहुँचकर प्रयोग आगे बढ़ाना चाहता था, मैं अस्पताल के बेड पर पड़ा समय नष्ट नहीं कर सकता था, तभी मैंने डॉक्टर साहब से पूछा कि डॉक्टर साहब मेरा बहुत जरूरी काम मेरा इंतजार कर रहा है, कृपया करके मुझे जाने दीजिये, मेरी बात सुनकर डॉक्टर साहब मुस्कुराते हुये बोले कि कितनी बचकानी बातें कर रहे हो तुम, अभी सिर्फ तीन दिन पहले ही तुम्हारा किडनी का ऑपरेशन हुआ है, ऐसी हालत में तुम्हें कम से कम एक महीना बेड रेस्ट (आराम) की जरूरत है, ऐसा न करने पर तुम्हारे ऑपरेशन के टाँके खुल सकते हैं, जिससे मौत भी हो सकती है और आखिर तुम्हारा ऐसा कौन-सा काम है जो तुम्हारी जान से भी ज्यादा कीमती है, मेरी बात मानो तो चुपचाप यहाँ आराम करो और दुबारा अपने घर जाने की बात मुझसे मत करना, डॉक्टर साहब की बात सुनकर मैं चौंका नहीं क्योंकि वह जो भी कह रहे थे ठीक कह रहे थे, लेकिन मैं परेशान था इस बात को लेकर कि एक महीने तक मैं भला कैसे अपने प्रयोग से दूर रह सकता हूँ, मैंने रवि को एक योजना बताई, मैंने रवि से कहा कि इस अस्पताल से बाहर निकलने का बस एक ही तरीका है, वह यह है कि रात में इस अस्पताल में कोई ज्यादा निगरानी नहीं करता है और अस्पताल भी बहुत छोटा है, अस्पताल के पीछे एक खंडहर है, जिसके बीच में एक छोटी-सी दीवार है, यदि रात में रवि कोई ऑटोरिक्शा लेकर उस खंडहर में आ जाये तो मैं चुपचाप इस बेड से उठकर उस खंडहर से पहले बनी दीवार तक पहुँच सकता हूँ, रवि इस दीवार के पास पहुँचकर खंडहर की तरफ मुझे खींच ले और उस ऑटो में बैठकर हम अपनी प्रयोगशाला जा सकें, रवि ने मेरा कहना मानते हुये रात को आया और मैं बड़ी ही चतुराई से उस अस्पताल से बाहर अपनी नई प्रयोगशाला में रवि के साथ उस ऑटोरिक्शा में बैठकर

चला गया। मैं ऑटोरिक्शा से अपनी नई प्रयोगशाला जो रवि ने अपने कमरे में बनाई थी, पहुँच गया था, मैंने देखा रवि ने प्रयोगशाला को बहुत ही अच्छे ढंग से व्यवस्थित किया था। मैंने रवि को इस बात का धन्यवाद दिया कि उसने मेरे न होते हुये इतना अच्छा काम किया था, रवि ने मेरी हालत देखते हुये मुझसे कहा कि मैं आराम करूँ और रवि मेरी निगरानी में प्रयोग आगे बढ़ाये, लेकिन इसके लिये मैंने रवि से मना कर दिया, क्योंकि यदि मुझे आराम ही करना होता तब उस अस्पताल से ही मैं क्यों आता, मेरी बात सुनकर रवि चुप हो गया। मैं अपने प्रयोग में जुट गया था, मैंने देखा कि गैसों के साथ एक खास तरह की रासायनिक अभिक्रिया करके अगर उनकी कुछ मात्रा वायुमंडल में छोड़ दी जाये, तो ये गैसें वायुमंडल की ऑक्सीजन को समाप्त कर उसे आग में बदल देती हैं, असर इतना भयानक कि थोड़ी–सी मात्रा भी देश को क्या पूरी दुनिया में आग बरसा दे, तापमान पांच हजार डिग्री सेन्टीग्रेट से भी ज्यादा, असर ऐसा कि इंसान तो क्या लोहा भी जलकर राख हो जाये और आखिरकार, मेरा ऑक्सीजन को आग में बदलने वाला बम बनकर तैयार हो ही गया जिसे मैंने फायर अटैक बम नाम दिया। जिसके बारे में मैंने सोचा था, अपना प्रयोग इतने सालों तक रखने का फल मुझे आज मिल गया था, मेरी मेहनत मेरी लगन आज रंग लाई, मैंने महाविध्वंशक हथियारों का आविष्कार कर लिया, पूरी दुनिया के सभी घातक हथियार आज मुझे अपने फायर अटैक बम के सामने बौने नजर आ रहे थे, ऐसा लग रहा था कि यह पूरी दुनिया जैसे मेरी मुट्ठी में बंद हो, रवि का इस प्रयोग सफल होने पर खुशी का ठिकाना नहीं था, उसकी आँखों में आज बरसों की मेहनत सफल होने की चमक थी, मैं सोच रहा था कि मेरे अपने अब मुझ पर वास्तव में नाज कर पायेंगे, पूरी दुनिया के सामने मैं, मेरा देश एक मिसाल बनकर दुनिया की सबसे बड़ी ताकत बनकर चमकेंगे, मैं इस फायर अटैक बम के फलस्वरूप इस दुनिया पर राज कर सकूँगा, अपनी दोनों बहनों की शादी किसी देश के राजकुमारों से करूँगा और अपनी माँ को दुनिया के सबसे बड़े हथियार आविष्कारक की माँ होने का गर्व दिलाऊँगा, पूरी दुनिया मेरा क्या मेरी माँ का भी

सम्मान करेगी, जिन-जिन लोगों ने मेरा अपमान किया है, उन्हें भी अब अपने आप पर खुद शर्मिंदगी महसूस होगी, मैंने अपना लक्ष्य प्राप्त कर लिया था, अब मुझे मेरे अपनों से मिलना था, वो अपने जिनके लिये मैं कलंक था, लेकिन मैं उन सबको मिलने से पहले कुछ सरप्राइज देना चाहता था कि मैं अभी मीडिया और देश के मुख्य अधिकारियों को पत्र लिखकर अपने फायर अटैक बम परीक्षण सफल कर फायर अटैक बम बनाने की खबर दे दूँ और अगले हफ्ते पूरी दुनिया के सामने यह हथियार अपने देश की सरकार को सौंप दूँ, जिससे कि पूरी दुनिया इस हथियार की ताकत को जान सके, वही समय सही होगा, जब मैं अपने परिजनों को उस सम्मान समारोह में बुलाऊँगा और इस फायर अटैक बम को बनाने का श्रेय अपने परिवार को दिलाऊँगा, इससे मेरे परिवार को इतना गौरव महसूस होगा कि वे सब मेरे द्वारा किये गये सारे गलत कामों को भूल जाते, मैंने रवि से कहा कि हमें तुरंत मीडिया और सरकार को अपना फायर अटैक बम दिखाने हेतु तुरंत पत्र लिखने चाहिये ताकि सब लोग अगले हफ्ते हमसे मिल सकें, मैंने रवि की मदद लेकर सरकार और मीडिया हमारे द्वारा बनाये गये फायर अटैक बम को देखे, जिससे कि सबकी उपस्थिति में हमारे द्वारा बनाये गये हथियार हम देश को सौंप सकें, यह प्रस्ताव भेजा, प्रस्ताव भेजने के बाद मैंने सारी जानकारी ली कि मीडिया और सरकार के लोग कब मेरे हथियारों को देखने आ रहे हैं तो पता चला कि उन लोगों ने 15 दिन का समय हमें दिया है। 15 दिन बाद वह हमारे हथियारों को देखने आयेंगे, मैं यह सब सुनकर खुशी से पागल हो रहा था, रवि और मैं नाच रहे थे, रवि मुझसे भी ज्यादा खुश था, उसने भी इस दुनिया में अपने लिये कुछ सपने देखे होंगे, वह अब पूरे होने जा रहे थे, रवि ने मेरे इस हथियार को बनाने में पूरा-पूरा साथ दिया था, इसीलिये उसे भी मैं अपने सम्मान में बराबर का हकदार बनाता, मैं सोच रहा था मेरे इस हथियारों के बदले जो पैसा मुझे मिलेगा, उसे मैं देश के गरीब-जरूरजमंदों को दान दूँगा ताकि कोई नौजवान अपनी प्रतिभा को दिखाने के लिये मेरी तरह चोरी न कर सके, मैं उन गरीबों को अपने हाथों से खाना खिलाऊँगा जो बेचारे रोटी न

मिलने के कारण अपनी जान दे देते हैं, मैं सरकार से बात कर उन मासूमों की उच्च शिक्षा-दीक्षा एवं उच्च खान-पान की योजना तैयार करवाऊँगा, जो बेचारे सिर्फ इतने कसूरवार होते हैं कि वो फुटपाथों और झोपड़पट्टियों में पैदा हो जाते हैं, सरकार और मीडिया ने मुझे 15 दिन का समय दिया था, यह समय न जाने क्यों बहुत धीरे-धीरे चल रहा था, समय जैसे काटे नहीं कट रहा था, मैं अब अपनी खुशी के कारण बेचैन था। दूसरी रात चल रही थी, रात्रि का दूसरा पहर था, मैं सोया हुआ था कि अचानक मैंने एक सपना देखा, सपना देखकर मैं हड़बड़ा कर चारपाई से नीचे गिर पड़ा, मेरे नीचे गिरने की आवाज सुनकर पास में सो रहे रवि की आँख खुल गयी, उसने मुझे हिलाकर पूछा कि क्या बात है भई, तुम इतने डरे हुये क्यों हो, क्या कोई सपना तो नहीं देख लिया है, मुझे सही-सही बताओ क्या बात है, रवि की बात सुनकर मैंने कहा कि रवि मैंने एक बहुत ही भयानक सपना देखा है, मेरी बात सुनकर रवि ने कहा कि मुझे सिर्फ इतना बताओ कि सपने में तुमने क्या देखा, मैंने रवि से कहा कि यार सपने में मैंने वही लड़की देखी है जिसे कभी हमने सड़क पर से घायल अवस्था में उठाया था और रात-रात में उसका एक डॉक्टर से इलाज कराकर सुबह उसे उसके घरवालों को सौंप दिया था, उस समय उस लड़की के पिताजी और एक बूढ़ा-सा आदमी जो उसका मंगेतर था, दोनों जो उस लड़की को लेने आये थे, मैंने देखा कि वह लड़की सपने में मुझसे बचाओ-बचाओ चिल्ला रही थी, कोई उसका गला दबा रहा था और वह चीख रही थी, उस लड़की को मेरी जरूरत है, वह मुझे बुलाने के लिये मुझे याद कर रही है, उसे पहले दिन देखकर ही मैंने यह अंदाजा लगा लिया था कि वह लड़की किसी बड़ी परेशानी में है, हमें उस लड़की की मदद करनी चाहिये, मेरी बात सुनकर रवि ने कहा कि हम उस लड़की को आखिर कैसे ढूँढ़ेंगे, हमें उसका पता भी तो मालूम नहीं है, मैंने रवि से कहा कि हमें तुरन्त इसी समय इसी शहर में उस लड़की को तलाशना होगा, आखिर यह एक छोटा-सा कस्बा ही तो है, हम दोनों अलग-अलग होकर उस लड़की को ढूंढ़ेंगे और अगर किस्मत में हुआ तो निश्चित ही हम उस लड़की को

ढूंढ़कर उसकी मदद कर पायेंगे, रवि जानता था कि मैं कहीं न कहीं उस लड़की से स्नेह करता था। यह शायद हमदर्दी से भी कहीं ज्यादा था, मेरा कहना रवि टाल न सका और आजकल हम खाली भी थे, क्योंकि मीडिया और सरकारी अधिकारियों के मिलने में 13 दिन का समय अभी और था इसलिये हमने अपने प्रयोगशाला का दरवाजा बंद किया और उस लड़की को ढूँढ़ने निकल पड़े, पूरा दिन हम दोनों उस लड़की को अलग-अलग दिशाओं में ढूँढ़ते रहे, लेकिन वो लड़की कोई हमारे इंतजार में किसी रोड के किनारे तो बैठी नहीं थी, इसलिये मिलती कहाँ से, हम दोनों शाम तक उसे नहीं ढूँढ़ पाये थे, शाम को जब हम भूखे-प्यासे, हारे-थके प्रयोगशाला में मिले तो रवि ने मुझसे कहा कि यार इस तरह ढूँढ़ने से तो वह लड़की पता नहीं कब मिले या न मिले, हमें उस लड़की को ढूँढ़ने का कोई और तरीका ढूँढ़ना होगा, मैंने रवि से कहा कि तू बता इसके अलावा हमारे पास और क्या तरीका हो सकता है, रवि मेरी बात सुनकर कुछ देर चुप रहा और बोला, याद आया कि जिस समय उस लड़की को लेने के लिये वह जो दो लोग आये थे, उनमें एक बूढ़ा उस लड़की का बाप था और एक बूढ़ा-सा आदमी उस लड़की का मंगेतर था, तुम्हें याद होगा(वह दोनों एक मोटर साईकिल से आए थे, जिसका नम्बर था शायद UP021.N0000, रवि की बात सुनकर मैंने कहा कि यह नंबर तो मोटर साईकिल का रजिस्ट्रेशन नंबर है, यह हमारी कैसे मदद करेगा, मेरी बात सुनकर रवि हँसते हुये बोला कि आप इतने बड़े वैज्ञानिक हैं और आप यह तक पता नहीं लगा पा रहे हैं कि यह गाड़ी नंबर किस तरह से हमारी मदद करेगा? मैंने रवि से कहा कि बात को घुमाओ मत, मुझे साफ-साफ बताओ, रवि बोला कि मोटर साईकिल वाले के घर का पता चल जायेगा, समझो उसी घर में वह लड़की भी हो सकती है, रवि की बात से मैं सन्तुष्ट था, हम दोनों समय बर्बाद न करते हुये, अगली सुबह RTO कार्यालय पहुँचे, हम वहाँ बड़ी मुश्किल से उस मोटर साईकिल वाले के नाम एवं पते को जान पाये, उस मोटर साईकिल वाले का पता मालूम होते ही हम दोनों उसके घर की तरफ चल दिये, किसी तरह

से इधर-उधर पूछताछ करते हुये हम दोनों उस मोटर साईकिल वाले के घर के दरवाजे पर पहुँच गये। मुझे मालूम था कि वह मोटर साईकिल वाला आदमी उस दिन बिना हमारी किसी गलती के हमसे लड़कर गया था और चेतावनी भी देकर गया था कि मेरी होने वाली बीबी के पास भी दिखाई मत देना नहीं तो अंजाम बहुत बुरा होगा, इसलिये मैंने रवि को उस मोटर साईकिल वाले के घर से थोड़ा दूर खड़ा कर दिया और मैं अकेला उसके दरवाजे की तरफ चुपचाप खड़े होकर उसके घर के अन्दर देखने लगा, मैंने देखा उसके घर में कोई था, वह एक साधारण-सा दिखाई देने वाला मकान था, उस मकान का दरवाजा भी कहीं-कहीं टूट रहा था, वह मकान भी पुराना-सा था, तभी मैंने देखा कि वही लड़की जिसके लिये मैं बेचैन हो रहा था, उसी घर में झाड़ू लगा रही थी, झाड़ू मारते हुये वह लंगड़ाकर चल रही थी जैसे उसके पैर में कोई चोट हो, वह जिस दिन मुझे उस सुनसान सड़क पर मिली थी मैंने उसे देखा था, आज वह बेचारी उस दिन से भी ज्यादा मायूस लग रही थी, उस लड़की को आज देखकर मुझे तरस आ रहा था, उस दिन तो मैं ठीक से इस लड़की से बात नहीं कर पाया था, लेकिन आज मुझे इस लड़की से बात करनी चाहिये, मुझे मालूम है कि यह लड़की बहुत परेशान है, मुझे निश्चित ही इस लड़की की मदद करनी चाहिये, यही सोचता-सोचता मैं उस लड़की के पास अन्दर मकान में चला गया, मैं जैसे ही उस लड़की के पास पहुँचा उसने देखकर मुझे तुरंत पहचान लिया, बोली—आप यहाँ कैसे आ गये, अब आप यहाँ से तुरंत चले जाइये क्योंकि मेरे होने वाले पति बाहर गये हैं वह आने ही वाले होंगे, आपको पता है वह कितना हल्ला करते हैं, यदि उन्होंने आपको मेरे साथ देख लिया तब तो पहले वह मुझे ही मार देंगे और बाद में आपको, कृपया करके यहाँ से चले जाइये, उस लड़की ने दोनों हाथ मेरे सामने जोड़कर कहा, मैं सोच रहा था कि यह लड़की शायद मुझे भूल चुकी होगी, लेकिन उसने पहली बार में ही मुझे पहचान लिया था, इसका मतलब था कि वह मुझे रोज याद करती थी, मैंने उस लड़की से कहा कि मैं आपकी मदद करना चाहता हूँ, मुझे लगता है कि आप किसी

बड़ी मुसीबत को लेकर जी रही हैं, मेरी बात सुनकर उस लड़की ने कहा कि आप भला मेरी क्या मदद करेंगे, आप बस इतना करिये कि तुरंत यहाँ से चले जाइये, मेरे होने वाले पति अब आते ही होंगे, उस लड़की की मायूसी भरी यह बात सुनकर मैं वहीं उसके पास जमीन पर बैठ गया, मैंने उस लड़की से कहा कि अब अंजाम चाहे कुछ भी हो मुझे परवाह नहीं, अब मैं यहाँ से तब तक नहीं जाऊँगा जब तक आप अपनी मुसीबत का कारण नहीं बता देतीं, मेरी यह जिद देखकर वह लड़की मजबूर हो गयी और उसने मुझे अपनी जिन्दगी की भद्‌दी सच्चाई बताई, उसने बताया कि उसका नाम रेखा है, माँ कैंसर की बीमारी के कारण रेखा के बचपन में ही चल बसी, रेखा का पालन–पोषण उसके पिता ने ही किया था, रेखा के पिताजी ने बहुत पहले रेखा की माँ के इलाज के लिये एक साहूकार से महज पाँच हजार रूपये ब्याज पर लिये थे, उस साहूकार की कोई औलाद नहीं थी और उसकी बीबी भी कुछ साल पहले चल बसी, वह साहूकार अब अकेला रहने लगा था, चूंकि रेखा अब बड़ी होने लगी थी, उस साहूकार की नीयत अब अपनी बेटी समान रेखा पर खराब होने लगी थी, किसी भी सूरत से वह साहूकार रेखा को अपनी रखैल बनाना चाहता था, उसने एक दिन रेखा और उसके पिताजी को पास बुलाकर कहा कि उसने जो कई साल पहले रेखा की माँ की बीमारी के इलाज के लिये पाँच हजार रूपये लिये थे, वह आज चक्रवृद्धि ब्याज के हिसाब से पाँच लाख हो गये हैं, अब तुम मेरे पाँच लाख रूपये अभी चुकता कर दो, नहीं तो अपनी बेटी रेखा की शादी मेरे साथ कर दो, उस साहूकार की बात सुनकर रेखा के पिताजी उस साहूकार पर भड़के और बोले कि लालाजी, यह सब कहते हुये आपको शर्म आनी चाहिये, रेखा आपकी बेटी के बराबर है, आप यह सब कह भी कैसे सकते हैं, रेखा के पिताजी की बात सुनकर वह कलयुगी साहूकार बोला कि तुम्हें शर्म क्यों नहीं आयी, जब तुम मुझसे गिड़गिड़ाकर अपनी बीमार बीबी का वास्ता देकर मुझसे 5,000 रूपये ले गये थे और अब भी मैं यह नहीं कह रहा कि तुम मुझे तुरंत मेरा पैसा ही वापस करो, तुम अगर अपनी बेटी रेखा

की शादी मुझसे नहीं करते हो तो जिन्दगी भर जेल काटने के लिए तैयार हो जाओ और तुम्हारे जेल जाने के बाद बची तुम्हारी अकेली लड़की, उससे मैं निपट ही लूँगा, उस साहूकार की बात सुनकर रेखा के पिताजी ने रेखा का रिश्ता उस साहूकार के साथ जोड़ने से साफ मना कर दिया, इस बात से वह साहूकार भड़क गया और उसने फोन करके तुरंत पुलिस को बुला लिया, पुलिस से उस साहूकार की पहले से ही सांठ-गांठ थी, पुलिस के आते ही उस साहूकार ने एक कागज पुलिस को दिखाया, उस कागज पर रेखा के पिताजी का अंगूठा लगा हुआ था, उस कागज में लिखा था कि रेखा के पिताजी ने उस साहूकार से कब कितना कर्ज कैसे लिया था, उस कागज और उस साहूकार के कारण रेखा के पिताजी को पुलिस ने गिरफ्तार कर लिया, पिताजी की गिरफ्तारी होते ही रेखा यह सब देखकर टूट गयी और अपनी शादी उस साहूकार से करने के बदले अपने पिताजी को छुड़ाने की हामी भर दी, रेखा की हामी भरने के बाद उस साहूकार ने रेखा से कोई शादी नहीं की बल्कि वह उसका शारीरिक शोषण करता रहा, हद तो तब हो गयी जब उसने अपना दिल रेखा से भरने के बाद, रेखा को अपने ही जैसे दोस्तों-रिश्तेदारों को रेखा को उनके आगे परोसना शुरू कर दिया, उस साहूकार ने आज उस मासूम रेखा को अव्वल दर्जे की वेश्या बना दिया था, रेखा ने कई बार उस साहूकार के चंगुल से भाग जाने की कोशिश की थी, लेकिन रेखा बस यही सोचकर रूक जाती थी कि आज के पुरूष-प्रधान समाज में हर कोई उस जैसे लड़कियों को नोचने के लिये बैठा है, उसे इस समाज में शायद कोई ऐसा नहीं लगा जो उसे पत्नी या बहन बनाकर सामाजिक तौर पर सम्मान दे पाता, इस समाज से रेखा का भरोसा उठ चुका था, रेखा की बात सुनकर मैं पेरशान हो गया, मैं सोचने लगा कि क्यों हम लोग औरत को बस हवस की निगाह से देखते हैं, इसके अलावा हमारा उनसे कोई रिश्ता ही नहीं है, मैं यह सब सोच रहा था कि तभी मैंने देखा कि रेखा का वह मंगेतर दो और लोगों के साथ वहाँ आ धमका, यह सब देखकर रेखा घबरा गयी, उसने मुझे तुरंत वहाँ से भाग जाने को कहा, मैंने कहा कि आज मैं यह फैसला करके

ही यहाँ से जाऊँगा कि तुम अब मेरे जीते जी एक भी दिन और इस दरिंदे साहूकार के साथ नहीं रहोगी, इतने में साहूकार मेरे पास आकर बोला कि तू वही रेखा का आशिक है न जो एक दिन इसे इलाज कराने के बहाने अपने कमरे में रंगरलियाँ मना रहा था और तेरे साथ वह तेरा एक दोस्त भी था, वह आज शायद तेरे साथ दिखाई नहीं दे रहा है, मैंने कड़ककर उस साहूकार से कहा कि बस बहुत हो चुका, रेखा ने मुझे तुम्हारी सारी सच्चाई बता दी है, तुमने चंद पैसों के लिये किसी की जिन्दगी नर्क बना दी, मेरी बात सुनकर वो साहूकार हँसते हुये बोला कि तुम चंद रूपयों की बात करते हो, ठीक है हम लड़ाई-झगड़ा नहीं चाहते हैं, तुम बस हमारा पैसा जो पाँच लाख से बढ़कर अब दस लाख हो गया है, उसे अभी चुका दो यह लड़की तुम्हारी हो जायेगी। उस साहूकार की बात सुनकर मैंने खुश होकर उस साहूकार से कहा कि ठीक है, मुझे बस दो हफ्ते का समय चाहिये, दो हफ्ते के बाद तुम्हारा दस लाख की जगह बारह लाख रूपया तुम्हें मिल जायेगा, लेकिन दो हफ्ते तक तुम लोग इस लड़की पर कोई और जुल्म न करना, मेरी बात सुनकर रेखा चुपचाप मेरी तरफ को देख रही थी, शायद वह सोच रही होगी कि इतना सारा पैसा मैं लाऊँगा कहाँ से, लेकिन वह पागल यह नहीं जानती थी कि मेरा हथियार बनकर तैयार है और चंद दिनों में पुरी दुनिया के सामने आने वाला है और दुनिया के सामने आते ही फिर तो हमारे पास पैसा ही पैसा होगा, मैंने रेखा के पास जाकर कहा कि मैं आपसे वादा करता हूँ कि मैं दो हफ्तों से भी पहले इन लोगों के पैसे देकर आपको यहाँ से ले जाऊँगा और पूरी दुनिया के सामने मैं आपको अपनी पत्नी बनाऊँगा, कृपा करके मुझ पर भरोसा करना, मेरी बात सुनकर भी रेखा चुपचाप खड़ी थी, मैं तुरंत वहाँ से वापस चलने लगा, इस पर उस साहूकार ने चिल्लाते हुये कहा कि भईया दो हफ्ते में मेरा पूरा पैसा चुकता कर देना, नहीं तो इस लड़की को कोठे पर बेच दूँगा, उस साहूकार की बात सुनकर मैं वहाँ से चल पड़ा, मेरे साथ बराबर में खड़ा रवि भी मेरे साथ आ गया, हम दोनों अब अपनी प्रयोगशाला में आ चुके थे, सरकारी लोगों और मीडिया के आने में अब बस दो दिन का समय

और रह गया था, मैं और रवि व्यवस्था में लग गये थे ताकि उन लोगों को किसी जगह बैठाकर हम अपना प्रयोग उन लोगों को दिखा सकें, तभी रवि के मोबाइल पर फोन आया कि मीडिया और सरकारी लोग कल अपने निर्धारित समय पर आ रहे हैं, शाम हो चुकी थी, अब बस एक रात की दूरी थी, सुबह पूरी दुनिया के सामने मैं अपनी मेहनत अपना फायर अटैक बम दुनिया को दिखाकर हैरान करने वाला था, आखिरकार वह सुबह इस रात के बाद आने ही वाली थी, जिसके लिए मैंने अपना सबकुछ दाँव पर लगा दिया था, क्या नहीं था जो मैंने उस सुबह को देखने के लिये नहीं किया था, आखिरकार मेरा सपना पूरा हो ही गया, मेरे दोस्त रवि की, मेरे सभी अपनों की दिली इच्छा पूरी हो गयी थी, बस इंतजार था तो इसी बात का कि कल सुबह पूरी दुनिया के सामने मैं मेरे अपनों को मेरी इस ख़ुशी का सरीक बना सकूँ, उन्हें मान-सम्मान दिला सकूँ, देश को ऐसी सुपर पावर दे सकूँ, जिससे पूरी दुनिया हमारे सामने बौनी साबित हो सके और हो भी क्यों न, मैंने एक ऐसा ही महाविध्वंशक हथियार जो तैयार कर लिया था जिसके सामने पूरी दुनिया के हथियारों की ताकत मुझे बौनी लग रही थी, मैंने एक ऐसा कारनामा कर लिया था जो संसार में अब तक किसी ने भी नहीं किया होगा। रात्रि के लगभग 10 बज चुके थे, समय काटे से नहीं कट रहा था, नींद आना तो दूर, मुझे भूख तक नहीं लग रही थी, मैंने समय पास करने के लिये सामने रखे टीवी को चालू कर दिया, उस पर मैं डिस्कवरी चैनल देखने लगा, डिस्कवरी चैनल के उस कार्यक्रम को मैं देखता ही रह गया, उस कार्यक्रम को देखकर मेरी आँखें खुली की खुली रह गयीं मानो उस कार्यक्रम को देखकर मुझ पर बिजली गिर पड़ी हो, मैं उस कार्यक्रम को देखकर अचम्भे में पड़ गया, उस कार्यक्रम में दिखाया जा रहा था कि जो फायर अटैम बम बनाकर मैं इतना खुश हूँ, उस हथियार जैसे हथियारों ने दुनिया में तबाही मचा दी है, यह सब 6 अगस्त, 1945 और 9 अगस्त, 1945 को हो चुका है, जब अमेरिका ने प्रथम विश्व युद्ध के दौरान जापान के दो बड़े शहरों नागासाकी और हिरोशिमा पर परमाणु हमला किया, जिसमें न जाने

कितने बेगुनाह मासूम काल का ग्रास बन गये, उस कार्यक्रम में मरे हुये उन मासूमों को दिखा रहे थे, जिन्होंने सही से अब तक चलना भी नहीं सीखा था, ऐसे बेजुबान पशु-पक्षियों के ढ़ेर पड़े थे जिनका हम मतलबी इंसान से कोई लेना-देना नहीं था, लेकिन इस स्वार्थी इंसान ने इन बेजुबानों को भी नहीं बक्शा। उन परमाणु हथियारों की शक्ति इतनी भयानक थी कि पूरे के पूरे शहर तबाह हो गये थे, सालों के बाद जाकर इस तबाही के सदमे से लोग निकल पाये, लेकिन इतने बरसों बाद भी उन परमाणु हथियारों का असर जड़ से खत्म नहीं हुआ, इंसान ने वहाँ ऐसा बारूद बखेरा कि सालों बाद भी जापान के इन शहरों में कुछ बच्चे अपाहिज, अन्धे, लूले पैदा होते हैं, स्वार्थ एवं ताकत की लड़ाई में इंसान भूल गया कि वह क्या कर रहा है, मेरी आँखों के सामने टीवी पर चलते हुये दृश्य ऐसे लग रहे थे मानो यह सबकुछ मेरे सामने ही हो रहा हो, मुझे लग रहा था कि इस घटना का जिम्मेदार जैसे मैं ही हूँ, मेरा मन कह रहा था कि यह सबकुछ होते हुये किसी ने रोका क्यों नहीं, इस दुनिया में इतने-इतने बुद्धिजीवी पड़े हैं, लेकिन किसी ने भी इस महामूर्खता वाले कृत्य को रोकने के लिये अंगुली तक नहीं हिलायी, मेरा मन कह रहा था कि काश मुझे इन सबके बारे में पहले पता होता तो चाहे मेरी जान ही क्यों न चली जाती, मैं हर एक परमाणु हथियार नष्ट कर देता, अब जो हो चुका वो वापस नहीं आ सकता, लेकिन अब मैं इतना तो जरूर कर दूँगा कि अब फिर से कोई फायर अटैक बम इस दुनिया पर न बरसे, मुझे अपना ये महाविध्वंशक फायर अटैक बम अभी तुरन्त ही नष्ट करना होगा, इसका फार्मूला भी मुझे जल्दी से जलाना होगा, अपने इस फायर अटैक बम को नष्ट करने के बाद मैं दुनिया भर में रखे परमाणु बमों को नष्ट कराने के लिये उन देशों की सरकारों के सामने गिड़गिड़ाऊँगा कि ये जो परमाणु हथियार आपने बनाये हैं और जो आप निरन्तर बनाते जा रहे हैं यह सब केवल विनाश ही कर सकते हैं, मैं उन्हें समझाऊँगा कि इन परमाणु हथियारों के बलबूते हम अपनी आने वाली पीढ़ी को क्या तोहफा दे रहे हैं, हो सकता है कि मेरे कहने समझाने से वह लोग मान जायें और यह परमाणु हथियार हमेशा के लिये

नष्ट हो जायें। अभी आधी रात से ज्यादा का समय हो गया था, सुबह सरकारी लोग और मीडिया हमारा प्रयोग देखने के लिये आ रहे थे, मुझे उन सबके आने से पहले यह सबकुछ नष्ट करना था, वो सबकुछ नष्ट करना था जिसे बनाने में मैंने अपनी पूरी जिन्दगी लगा दी, मैंने आज क्या पाया, मैं तो बस आज तक अपनी और अपनों की कब्र ही खोदता रहा, मैं आज अपने आपको उस महामूर्ख से भी ज्यादा मूर्ख समझ रहा हूँ, जो डाल पर बैठा था उसी डाल को काट रहा था, बरसों की कड़ी मेहनत के बाद मैंने आज यह क्या बना डाला, इससे बड़ी महामूर्खता अब क्या हो सकती है, मैं बेचैन था, मेरे पैर काँप रहे थे, मैं अपने इस कुकृत्य पर अपने आप से बेहद खफा था, मैं सोचने लगा कि काश मैंने दुनिया का सर्वनाश करने वाले हथियार की जगह कोई ऐसा कारगर हथियार बनाया होता जिससे देश की भुखमरी-बेरोजगारी खत्म हो जाती, देश में बढ़ते हुये अपराधों को जिस हथियार से रोका जा सकता है, ऐसा हथियार जिससे देश की बढ़ती आबादी को काबू किया जा सकता, काश मैं ऐसा हथियार बना पाता, यदि ऐसे हथियार मैं बना पाता तो घर-घर इनको बँटवा देता, इससे दुनिया का कुछ भला तो हो पाता, मैं यह सब सोच ही रहा था कि तभी रवि मेरे पास आकर बोला कि हमें उस भगवान का लाख-लाख धन्यवाद देना चाहिये जिनकी कृपा से हम इतना बड़ा हथियार बना पाये, मैं चुप था लेकिन रवि सफलता के शीर्ष पर पहुँचकर इतना ज्यादा खुश था कि वो इन सब बातों से अनजान था जिनकी मुझे अच्छी तरह से जानकारी हो गयी थी, रवि ने मुझसे जोर से कहा कि भई अब तो सबकुछ ठीक हो ही गया है अब तुम क्या सोच रहे हो, सारी दुनिया अब हमारी मुट्ठी में है, अब तो हमें खुशियां मनानी चाहिये, हमारे नाचने-गाने का समय तो अब आया है, आखिरकार हमने साबित कर ही दिया कि हम इस दुनिया में नं. 1 हैं, हमने आज वह शक्ति पैदा की है जिसके बारे में दुनिया भर में कोई सोच न सका हो, यह कहकर रवि ठहाके मार-मार कर जोरों से हँसने लगा, मैंने रवि को चुप कराते हुये कहा कि रवि मैं तुमसे एक बात कहना चाहता हूँ, क्या तुम मेरा कहना मानोगे, रवि मेरी तरफ देखते हुये बोला कि जब

से हम लोग साथ हैं मैंने हमेशा ही तेरा कहना माना है, आज तुम ये कैसी बातें कर रहे हो, मैंने रवि से दुबारा कहा कि रवि तुम पहले मेरी कसम खाओ कि मैं जो अब कहने जा रहा हूँ, तुम वह मानोगे, रवि ने मेरी तरफ देखकर कहा कि मानूँगा, बताओ तो सही आखिर क्या बात है, रवि मुझ पर अपने आपसे ज्यादा भरोसा करता था, इसलिये उसने बिना कुछ सोचे-समझे वादा कर लिया, शायद उस बेचारे को यह तक पता नहीं था कि मैं उससे कहने क्या जा रहा था, वह नहीं जानता था कि मैं उसकी जिन्दगी भर की मेहनत, मान-सम्मान सबकुछ मिट्टी में मिलाने जा रहा था, मैंने रवि की आँखों में देखते हुये कहा कि रवि इस दुनिया में रहने वाले लोग हमारे क्या लगते हैं, रवि बोला हर इंसान को उस परमपिता परमात्मा ने बनाया है, इस हिसाब से हम भाई-भाई हुये। रवि की बात सुनकर मैंने कहा कि रवि यदि अगर हमारे भाइयों के घरों में कोई आग लगा दे, उनके घर-परिवारों को जिंदा जला दे तो क्या यह हमें अच्छा लगेगा। रवि बोला– कैसी बातें करते हो तुम, यह सब तो क्रूरता है, राक्षसी कृत्य से भी बढ़कर है, ऐसा करने वाला तो इंसान हो ही नहीं सकता, लेकिन कोई कैसे किसी बेगुनाह को इतनी बेरहमी से मार सकता है, रवि ने मेरी तरफ देखते हुये कहा, मैंने रवि को जबाब दिया कि यह कुकृत्य पहले भी हो चुका है और अब हम दोनों फिर से वही कृत्य करने जा रहे हैं और इस बार विस्फोट इतना भयानक होगा कि शायद विस्फोट करने वाला भी न बचे। रवि मेरी बात थोड़ी-थोड़ी समझ रहा था, वह बोला तुम मुझे साफ-साफ बताओ कि बात क्या है, मैंने रवि को समझाते हुये कहा कि रवि हमने जो यह महाविध्वंशक बम बनाया है, यह एक न एक दिन फूटेगा जरूर और जिस दिन भी यह फूटेगा उस दिन पूरी दुनिया तबाह हो जायेगी, किधर भी कुछ नहीं बचेगा, इंसान, पशु, पक्षी कुछ शेष ना बचेगा, तुम तो इस हथियार की विध्वंशक क्षमता के बारे में जानते ही हो और ऐसा मेरे दोस्त एक बार पहले भी हो चुका है, जब प्रथम विश्व युद्ध के दौरान जापान के दो बड़े शहरों को अमेरिका ने निशाना बनाया था, मैंने सारी बातें विस्तारपूर्वक रवि को बताई, मेरी बात सुनकर रवि कड़क आवाज में बोला, तो क्या

हम यह अपनी पूरी जिन्दगी की मेहनत मिट्टी में मिला दें और पहले की तरह बदनामों की तरह जियें, रवि मेरी बात का मतलब अच्छी तरह समझ गया था, मैंने रवि को समझाते हुये कहा कि रवि हमें यह बम सरकार और मीडिया के आने से पहले ही समाप्त करना होगा, अगर यह सार्वजनिक हो गया फिर हम कुछ नहीं कर पायेंगे, हमें यह बहुत जल्दी नष्ट करना होगा, रवि मेरी बात सुनकर तिलमिला उठा, जैसे मैंने उसके जख्मों पर नमक छिड़क दिया हो, रवि बोला–क्या बकवास करते हो तुम, हमने इसे बनाने के लिये दिन-रात एक कर दिया, दुनिया भर की बदनामियाँ उठायीं और तुमने अपने ही घर में इसके लिये चोरी की, अपना शरीर तक बेच दिया, अपनी माँ-बहनों को सड़क पर ला दिया, आखिर ये सब पाने के लिये हमने ये बम बनाया था, तुम्हें चाहने वाली रेखा जो तुम्हारा इंतजार कर रही है कि कब तुम बनियों के चंगुल से उसे छुड़ाओगे, तुम्हारा परिवार, उसके बारे में सोचा है तुमने, जिसे तुम हमेशा से धोखा ही देते चले आये हो। रवि की बात सुनकर मैंने कहा कि रवि सब जैसे-तैसे करके जी ही लेंगे और मैं अपने थोड़े से निजी स्वार्थ के लिये पूरी दुनिया के मासूमों की जिन्दगी तो दाँव पर नहीं लगा सकता। मेरी बात सुनकर रवि बोला–कृपया करके अपना यह भाषण बंद करो, तुम यह क्यों नहीं समझ रहे हो कि बहुत जल्दी सवेरा हो जायेगा और मीडिया और सरकारी लोग हमारे पास आकर हमारे इन हथियार के बारे में पूछेंगे जिसे तुम अभी तुरंत नष्ट कर देना चाहते हो फिर हम क्या जबाब देंगे, यदि सरकार और मीडिया को पता चला कि हमने उन्हें गुमराह किया है तब हमें वो लोग जिन्दगी भर के लिये जेल में सड़वा देंगे, मैं यह कभी नहीं होने दूँगा, आखिरकार दुनिया भर की सरकारें तो परमाणु हथियार के समर्थन में ही हैं, तुम भी यह सब नाटक बाजी छोड़कर, उन्हीं का साथ दो। नहीं रवि, मैंने अपने जीते जी इस बम को इन बेगुनाहों पर नहीं फूटने दूँगा, तुम वास्तविकता क्यों नहीं समझ रहे हो, रवि तुम्हारा दिल तो पत्थर का हो गया है, जिसमें तुम्हें किसी का विनाश महसूस नहीं होता, तुम अब चाहे मेरा साथ मत दो, मैं अकेला ही इस बम को नष्ट कर दूँगा, इतना कहकर मैं प्रयोगशाला

की तरफ उस बम को नष्ट करने के लिये बढ़ने लगा, मैं सोच रहा था कि रवि मेरी बात मानकर मेरे पीछे-पीछे उस बम को नष्ट करने के लिये मेरे साथ आयेगा, लेकिन ऐसा नहीं हुआ, वह वहीं खड़ा किसी को फोन कर रहा था, अब मैं प्रयोगशाला की तरफ अकेला ही बढ़ता चला जा रहा था, जल्दी थी तो इस बात की कि जल्द से जल्द वह बम नष्ट हो जाये, मैं पैदल ही जा रहा था, कुछ देर बाद मैं दौड़ने लगा, ऐसा लग रहा था जैसे उस बम को मेरे वहाँ पहुँचने से पहले कोई चुराकर ले जायेगा और यदि ऐसा हो गया तो मैं कहीं का न रहूँगा, यही सोच-सोचकर मेरा दिल जोर-जोर से धड़क रहा था, थोड़ी देर दौड़ने के बाद मैं प्रयोगशाला पहुँच गया, मैंने देखा प्रयोगशाला का दरवाजा खुला है, जबकि उस दरवाजे की चाबी मेरी जेब में थी, कुछ देर पहले मैं जिसके बारे में सोच-सोच कर काँप रहा था, कहीं वास्तव में वही बात सच न हो जाये, मैं जैसे ही प्रयोगशाला के अन्दर गया, मैंने देखा रवि वहाँ तीन विदेशी लोगों के साथ धीरे-धीरे बात कर रहा था, मैं अचम्भे में था, मैंने रवि से पूछा कि यह विदेशी लोग अपनी प्रयोगशाला में तुम्हारे साथ क्या कर रहे हैं और ये प्रयोगशाला का दरवाजा तुमने कैसे खोल दिया, इसकी चाबी तो मेरे पास है, रवि ने तुरंत मेरी तरफ देखकर अकड़ में कहा कि तुम तो महामूर्ख हो, इस दुनिया को बचाने का ठेका केवल तुमने ही ले रखा है, लेकिन मैं तुम्हारी तरह बेवकूफ नहीं हूँ जो तुम्हारी इन बेकार की बातों में आ जाऊँ, मैंने अपना यह बम और इसका फार्मूला इन विदेशियों को बहुत-बहुत मोटी रकम में बेच दिया है, मुझे ढेर सारा पैसा तो मिलेगा ही साथ-साथ दुनिया में नाम, शोहरत सबकुछ मेरे कदमों में होगा और तुम क्या समझते हो एक ताले की दूसरी चाबी नहीं बनाई जा सकती क्या? मैंने इस बम को बेचने के लिए काफी लोगों से सम्पर्क किया और आखिरकार ये लोग मान गये, रवि की बातें मेरे कलेजे को चीर रही थी, मैं सोच रहा था कि कितना बुरा दिन था वह जिस दिन मैंने रवि को अपना भाई, अपना दोस्त समझकर अपने प्रयोग में खुशी-खुशी शामिल किया था लेकिन उसके मन में क्या चल रहा था, यह मैं आजतक न जान पाया, रवि ने भी औरों की तरह सफल

होने के ख्वाब देखे थे, जिन्हें वह शायद अब तोड़ना नहीं चाहता था, रवि पर मेरी बातों का कोई भी असर नहीं हो रहा था, वह कड़ककर बोला कि अगर तुम्हें हिस्सा चाहिये तो चुप रहो और मेरा साथ दो नहीं तो यह हथियार खरीदने वाले विदेशी तुम्हें ऊपर पहुँचा देंगे, रवि की बात सुनकर मैं चुपचाप उन लोगों को खड़ा देखता रहा, रवि उस बम की डीलिंग उन विदेशियों से निपटा रहा था और यह सबकुछ मेरी आँखों के सामने हो रहा था और इन सबके लिये केवल मैं ही जिम्मेदार था, यदि इस बम के द्वारा कोई विनाश हुआ तो इसके जिम्मेदार ये लोग नहीं केवल मैं ही होऊँगा, यही सोचकर मेरा कलेजा फटा जा रहा था, मुझे कुछ करना था चाहे इसके लिये मेरी जान ही क्यों न चली जाये, मेरे जीते-जी यह हथियार कहीं तबाही नहीं मचायेगा, अभी भी रवि उन तीन विदेशियों के साथ अपनी डीलिंग में व्यस्त था, उन विदेशियों में एक लम्बा-तगड़ा आदमी था जो उनका बॉस लग रहा था, वह मेरी तरफ को पीठ करके खड़ा था, मैंने देखा उसकी पैंट की बायीं जेब में एक पिस्टल रखी थी, पैन्ट की जेब का मुँह मेरी तरफ को खुला था, जेब थोड़ी ढीली-ढीली लग रही थी, मुझे तुरंत कुछ करना था, सभी लोग डीलिंग में व्यस्त थे, किसी का भी ध्यान मेरी ओर नहीं था, मैं चुपचाप उस आदमी की ओर लपका और फुर्ती के साथ मैंने उसकी जेब में रखी पिस्टौल निकालकर उस बॉस के सिर पर तान दी, मुझे गन चलाना नहीं आता था, लेकिन इतना पता था कि किसी पर तानकर बस घोड़ा दबा दो और सामने वाले का खेल खत्म जो मैं आसानी से कर सकता था, चूंकि मैंने उन विदेशियों के बॉस के ऊपर गन तानी थी, इसलिये बाकी सब मेरे सामने खड़े हो गये, यह सब देखकर रवि चकित था, वह बोला कि तू इन लोगों को नहीं जानता, अब तू जिन्दा नहीं बच पायेगा, मैंने उन विदेशियों के बॉस से कहा कि मेरी तुमसे कोई दुश्मनी नहीं है, तुम लोग चुपचाप यहाँ से तुरंत चले जाओ, नहीं तो इस पिस्टल से गोली चलने में कोई देर नहीं लगेगी, मेरा हौसला देखकर रवि ने उन विदेशियों के बॉस से कहा कि तुम लोग यहाँ से निकलकर हवाई अड्डे पर मेरा इंतजार करो, मैं इस बेवकूफ को

निपटाकर तुरंत फार्मूला लेकर आप लोगों से वहीं मिलता हूँ, रवि की बात सुनकर वे विदेशी वहाँ से अँग्रेजी में यह कहकर गये कि वे रवि का एयरपोर्ट पर इंतजार करेंगे, रवि यह सब देखकर गुस्से से पागल हो चुका था, वह चिल्लाते हुये बोला कि आखिर क्या चाहिये तुझे, मैंने अपने हाथ में ली पिस्टौल को अपनी जेब में रख लिया और गिड़गिड़ाते हुये हाथ जोड़कर रवि से कहा कि रवि मेरे भाई तुम इस दुनिया के अनगिनत मासूमों की जिन्दगी बक्श दो, मैं तुम्हारे पैर पड़ता हूँ, मेरे भाई अगर तुम्हें पैसा ही कमाना है तो किसी और तरीके से हम पैसा कमा सकते हैं, हम लोग मिलकर कुछ कर लेंगे, मेरे दोस्त मैं तुम्हारी मदद करूँगा, लेकिन बस एक बार मेरा कहना मान लो, रवि तुम्हें भगवान का वास्ता। रवि पर मेरे गिड़गिड़ाने का कोई असर नहीं हो रहा था, मेरी बात सुनकर रवि बोला, कितनी मेहनत की है मैंने इसे बनाने में, क्या नहीं किया मैंने यहाँ तक पहुँचने में, हर मुसीबत उठाई, चोरी की, पुलिस की मार खाई, अपना सबकुछ दाँव पर लगा दिया और आज जब यहाँ सबकुछ ठीक हो गया है तो तुम यह बेकार के भाषण सुनाकर मेरा टाइम खराब कर रहे हो, चलो ठीक है फिर भी मैं तुम्हें हिस्सा देने के लिये तैयार हूँ, अब मुझे यह फार्मूला लेकर उन लोगों के पास जाना है, वे काफी देर से मेरा एयरपोर्ट पर इंतजार कर रहे होंगे, मैं अभी जाकर उनसे डील करके आता हूँ और तेरा हिस्सा भी मैं उसी समय तुझे दे दूँगा, अब तो ठीक है न। रवि पर मेरे लाख समझाने का कोई असर नहीं पड़ रहा था। मैंने रवि से कहा कि रवि यह कोई मजाक नहीं है, तुम यह सब क्यों नहीं समझते, रवि क्या तुम्हारे दिल में कोई भी फीलिंग नहीं है, इतने चान्डाल तो मत बनो, मेरी बात को रवि अनसुना करते हुये बोला, ठीक है मैं फार्मूला उन लोगों को देकर अभी वापस आता हूँ और उसके बाद मैं तुमसे बात करूँगा। मैंने रवि से तेज आवाज में कहा कि रवि तुम मेरे होते हुये यह फार्मूला यहाँ से उन विदेशियों तक नहीं ले जा सकते, यह कहते हुये मैंने वह फार्मूला रवि के हाथों में से छीनना चाहा, मैं यह फार्मूला रवि से छीनकर जला देना चाहता था, यह फार्मूला मेरे दिमाग की उपज थी, रवि को यह फार्मूला याद नहीं था,

यह तो सिर्फ मेरे दिमाग में था या फिर उस कॉपी में लिखा हुआ था, जो इस समय रवि के हाथों में थी, मैं रवि से वह फार्मूला छीन रहा था, रवि वो फार्मूला छोड़ नहीं रहा था, इसी तनातनी में हम लोग आपस में भिड़ गये, मेरी जेब में पिस्टौल था लेकिन मैं उस पिस्टौल को अपने हाथ में लेकर छीना-झपटी नहीं करना चाहता था, अगर इस छीना-झपटी में किसी पर भी गोली चल जाती तो क्या होता, रवि मेरे बचपन का दोस्त था, मेरे भाई से बढ़कर था वह मेरे लिये, मैं उसे मारने की सोच भी नहीं सकता था, इसी छीनाझपटी में रवि ने पास में पड़ी एक लोहे की राड मेरे सर में मार दी, सर से तुरंत चारों तरफ को खून बहने लगा, मैं चक्कर खाकर एक तरफ को गिर गया, मैं बेहोश नहीं हुआ था लेकिन मैं खड़ा नहीं हो पा रहा था, मेरे खून के कुछ छींटे रवि के कपड़ों पर गिर गये थे जिन्हें वह मेरे सामने खड़ा होकर साफ कर रहा था, शायद वह मुझसे निश्चिंत था कि मैं उठकर अब उसके पास तक भी नहीं आऊँगा, फार्मूला उसके पास था, मेरी आँखों के आगे अंध ेरा-सा छाने लगा, मेरे सर से खून काफी बह गया था, रवि मेरी यह हालत और अपनी विजय होते देख मुझ पर खड़ा-खड़ा हँस रहा था, वह आज इतना गिर गया था कि मुझे जान से मारने और गन्दी-गन्दी गालियाँ देने में भी उसे कोई परहेज न था, पल भर में इस दौलत और शोहरत के नशे ने उसे राम से रावण बना दिया था, मेरे सर का दर्द बढ़ता ही जा रहा था और उससे भी ज्यादा मेरे दिल का दर्द बढ़ रहा था जो कह रहा था कि रवि यह फार्मूला ले जाकर उन विदेशियों को बेच देगा और मैं यहीं पड़ा-पड़ा मर जाऊँगा, मैं यही सोच रहा था कि इतने में रवि मेरे सामने आकर बोला कि तुम जैसे लोगों का तो यही हस्र होना चाहिये, अब मरो यहाँ मैं तो चला और तुम्हें बचाने यहाँ कोई नहीं आयेगा, इतना कहकर रवि वहाँ से बाहर जाने के लिये मुड़ा, मैंने तुरन्त अपनी जेब में रखी पिस्टौल रवि पर तान दी, मेरी जेब में पिस्टौल है रवि शायद इस बात को भूल गया था, मैंने पिस्टौल तानकर रवि से कहा कि अगर तुने यह फार्मूला मेरे सामने नहीं जलाया तो मैं सचमुच गोली चला दूँगा रवि, मेरी बात सुनकर रवि बोला कि तू मेरा दोस्त है, तू मुझे

नहीं मार सकता है, मैं जा रहा हूँ, बाय, रवि इतना कहकर आगे बढ़ने लगा, मैं मजबूर था, मेरे पास अब गोली चलाने के अलावा कोई चारा न था, और वही हुआ। मैंने रवि पर गोली चला दी थी, गोली लगते ही रवि वहीं पर अचेत होकर गिर पड़ा, मैं चल नहीं पा रहा था, इसलिये सरक-सरक कर पास में ही पड़े रवि के नजदीक पहुँचा, मैंने देखा गोली रवि का सीना चीरकर पार निकल गयी थी, रवि मर चुका था, मैं रवि को देखकर रोने लगा था, मैं भगवान से पूछने लगा कि हे प्रभु, यह सब मेरी किस्मत में ही आपने क्यों लिखा, मैं अपने दिल को समझा नहीं पा रहा था, मेरे अन्दर से आवाजें आ रही थीं कि मैंने अपने प्यारे दोस्त, अपने भाई को मार दिया, मैं हत्यारा हूँ, लेकिन मैं अपने दिल को यह कहकर समझा रहा था कि अगर रवि यह फार्मूला उन विदेशियों को दे देता तो एक महाविध्वंशक हथियार बनने में देर न लगती और उसे यह झगड़ालू इंसान एक न एक दिन फोड़ ही देता, यह समय रोने-गिड़गिड़ाने का नहीं था, इससे पहले की कोई और वहाँ पहुँचे तुरन्त यह फार्मूला जला देना चाहिये, मैंने वह फार्मूला तुरंत आग के हवाले कर दिया, मुझे नफरत हो गयी थी अपनी उस प्रयोगशाला से, उसकी एक-एक चीज से, प्रयोगशाला में रखा सामान मेरी आँखों में चुभ रहा था, पूरी प्रयोगशाला जैसे मौत का घर लग रही थी, मैं सोच रहा था कि प्रयोगशाला में रखी चीजों को देखकर कहीं कोई उस बम का फार्मूला न बना ले, मुझे पूरी प्रयोगशाला नष्ट करनी होगी, मेरे पास में एक लोहे की राड पड़ी थी जो रवि ने मेरे सर पर मार कर वहीं डाल दी थी, उस पर खून लगा था, मैंने उस राड को उठाकर प्रयोगशाला में रखा लगभग हर सामान तोड़ डाला और आखिरकार उस प्रयोगशाला को ही मैंने आग के हवाले कर दिया, जो एक बड़ा कारण थी यह मुसीबत लाने के लिये। प्रयोगशाला धूं-धूं करके जल रही थी, सुबह का वक्त हो गया था, मैं प्रयोगशाला के बाहर चित्त पड़ा था, जलती हुई प्रयोगशाला देखकर मुझे सुकून मिल रहा था कि आखिरकार मैंने यह सब कुछ नष्ट कर ही दिया, अब कभी यह महाविध्वंशक परमाणु बम किसी पर भी न फूट पायेगा, अब किसी मासूम को दो झगड़ों में अपनी जान तो न देनी पड़ेगी, मन शान्त था, थोड़ी चिन्ता बस इस बात की

थी, मैंने अपना फार्मूला तो जला डाला लेकिन इस दुनिया के तमाम फार्मूले जो विनाश का सामान तैयार करते हैं, उन्हें नष्ट करना कैसे संभव हो पायेगा। लेकिन मैं हार नहीं मानने वाला, इन महाविध्वंशक हथियारों को नष्ट करने के लिये मैं कोई कसर नहीं छोड़ूँगा। मेरे सर का घाव ठंडा पड़ रहा था, मुझे बेहोशी आ रही थी, मैं मन ही मन भगवान से प्रार्थना कर रहा कि हे भगवान, मैं मरना नहीं चाहता, आखिरकार आप मुझे किन बुरे कर्मों की सजा दे रहे हैं, मैंने क्या बुरा किया भगवान, अगर अनजाने में कोई भूल हो गयी हो तो उसके लिये मुझे क्षमा करें प्रभु, मैं जीना चाहता हूँ और पूरी दुनिया को यह बताना चाहता हूँ कि यह महाविध्वंशक हथियार विनाश के सिवाय कुछ न कर पायेंगे, यही बातें सोचते-सोचते मैं बेहोश हो गया और जब फिर होश आया तो मैंने देखा कि मैं अस्पताल के बेड पर पड़ा हूँ, मेरे सामने एक डॉक्टर और दो पुलिसवाले खड़े हैं, उन्हें देखकर मैंने जैसे कुछ बोलना चाहा तभी उन दोनों पुलिसवालों में से एक ने कड़क आवाज में मुझसे पूछा कि सूरज तुम्हारा नाम है? मैंने जवाब दिया– हाँ। ठीक है, हम तुम्हें गिरफ्तार कर रहे हैं, तुम पर अपने दोस्त रवि को जान से मारकर अपनी प्रयोगशाला में उसके शरीर को जला देना तथा बिना किसी बात के मीडिया और सरकार को गुमराह करने का केस चलाया जायेगा, उस पुलिस वाले की बात सुनकर मैं चकित नहीं हुआ, मुझे पता था कि मैंने अपने दोस्त रवि को मार डाला, मीडिया और सरकार को अपना प्रयोग दिखाने के लिये बुलाया लेकिन वहाँ किसी को कुछ नहीं मिला और वैसा ही हुआ, मैंने उस पुलिसवाले से पूछा तो उसने बताया कि मेरे बेहोश होने के बाद प्रयोगशाला धूं-धूं कर जल रही थी, सुबह हो गयी थी तमाम लोग उस जलती प्रयोगशाला को देखकर वहाँ इक्ट्ठा हो गये थे, हमारी बुलायी मीडिया-सरकार को बिना किसी बात के वापस जाना पड़ा, रवि मर चुका था और अब बचा हुआ अपराधी भी केवल मैं ही था, यह सब कुछ मैंने ही किया था तो अब मुझे ही इसकी सजा मिलनी थी जिसके लिये मैं तैयार था। तभी पुलिसवाले ने कहा कि तुम्हें हम पूछताछ के लिये अपने साथ ले जा रहे हैं तो मैं उस पुलिसवाले की बात सुनकर चुपचाप उनके साथ चल पड़ा, मेरे सर में लगी चोट पर

अब पट्टी बँधी हुई थी, दर्द भी अब कम था, मैं सोच रहा था थोड़ी शंका इस बात की थी कि मेरी कहानी का इन पुलिसवालों को अच्छी तरह से पता है और मैंने भी सब इन्हें बता दिया है फिर कौन-सी पूछताछ के लिए ये ले जा रहे हैं, लेकिन अब मैं इनकी हिरासत में हूँ जो होगा देखा जायेगा, और चाहे कोई इंसान समझे या न समझे, भगवान तो देख ही रहे हैं। मैं चुपचाप उन पुलिसवालों के साथ जा रहा था, हम बढ़ते रहे, आगे बढ़ते हुये मैंने देखा कि वह रास्ता मेरी पहचान का था जिस रास्ते पर हम चल रहे थे, मुझे याद आया कि मि. अग्रवालजी के घर जब हमने चोरी की थी तब वे पुलिसवाले हमें पकड़कर इसी रास्ते पर एक सुनसान खुफिया अड्डे पर ले गये थे, जो वो लोग गैरकानूनी तरीके से किसी की खाल खींचने, किसी से जबरन गुनाह कबूल कराने के लिये किया करते थे, मैंने तो सब सच-सच इन पुलिस वालों को बता दिया था फिर ये लोग मुझे वहाँ क्यों लेकर जा रहे थे, मैं यह सब सोच ही रहा था कि इतने में पुलिस का वह अड्डा आ गया था, जहाँ पर मैं और रवि पहले भी आ चुके थे, मैं जैसे ही इन दो पुलिसवालों के साथ वहाँ पहुँचा तुरन्त एक लम्बा-तगड़ा आदमी वहाँ आया और मुझे वे दो पुलिसवाले उस लम्बे-तगड़े आदमी को सौंपकर वहाँ से चले गये, तहखाने में ले जाकर उस आदमी ने मुझे एक छोटे-से कमरे में बन्द कर दिया, मैं उस कमरे में अकेला था, साथ देने के लिये सिर्फ उस कमरे में अंधेरा मात्र था, लगभग 20-25 घंटे हो चुके थे, मुझे उस कमरे में बंद हुए लेकिन मेरी खैर खबर लेने या मुझसे पूछताछ करने के लिये अभी तक कोई भी इस कमरे में नहीं आया था, मैं परेशान था, यह सब क्या चल रहा था, यह सब मेरी समझ से बाहर था, मैं यह सब सोच ही रहा था कि इतने में उस दरवाजे पर हलचल-सी हुई, मैंने देखा कि दरवाजे पर तीन लोग हैं, उन लोगों के अन्दर आते ही उस कमरे में लगा हुआ बल्ब भी जल उठा, बल्ब जलते ही मैं उस दरवाजे पर खड़े तीनों लोगों को पहचान कर हैरान रह गया, उन तीनों में एक वही दरोगा था जो रवि और मुझे पकड़कर इस तहखाने में लाया था और दो उन विदेशियों में से थे जो रवि से इस फायर अटैक बम बनाने के

फार्मूलों का सौदा करने आये थे, तभी एकाएक उस दरोगा ने मुझे पहचानते हुये कहा, चलिये ठीक है अब तो बात बन ही जायेगी, यह वैज्ञानिक बाबू तो अपनी पहचान के निकले, अरे भई आप तो बहुत आगे निकल गये, बड़ा जल्दी सॉर्टकट मारा, क्या किया यह चोरी-चप्पट्टी करते-करते बड़ी जल्दी इन्टरनेशनल बन गये, यह कहकर वह दरोगा जोर-जोर से हँसने लगा, मैं सोच रहा था कि इस दरोगा को उस बम-फार्मूले के बारे में इन विदेशियों ने बताया होगा और सांठ-गांठ करके ये दरोगा और विदेशी कोई जरूरी जानकारी लेने मेरे पास आये हैं, जिसका डर था वही हुआ। तभी वह दरोगा मेरे पास आकर बोला, अरे भई वैज्ञानिक बाबू, मुझे घुमा-फिराकर बात करना नहीं आता इसलिये आपको साफ-साफ बता देता हूँ, ये विदेशी हैं आपके आविष्कार के कायल, आपने अपने दोस्त रवि को तो फायर अटैक बम फार्मूले की डील नहीं करने दी, अब कम से कम आप हमें निराश न करें, कृपा करके इन्हें उस बम का फार्मूला बता दें, यह आपसे कोई फ्री में आपका फार्मूला नहीं ले रहे हैं आपको इसकी मुँहमाँगी कीमत दी जायेगी, इस केस से भी आपको छुटकारा मिल जायेगा, यह केस मैं और किसी पर थोप दूँगा, यह तो तुम मेरे बारे में जानते ही हो और यह लोग तुम्हें अपने देश की नागरिकता देंगे, जिन्दगी भर मजे करोगे दोस्त और तुम अगर राजी से नहीं माने तो तुम जानते ही हो कि यहाँ मैं किस तरह मुर्दों से भी उगलवा लेता हूँ, जो नहीं मानते उनकी खाल खींचकर भूसा भर दिया जाता है, इसलिये मैं उम्मीद करता हूँ कि आप हमें निराश नहीं करेंगे, उस बहशी दरोगे की बात सुनकर मेरा सर चकरा गया, मैंने बात छुपाते हुये कहा कि उस फायर अटैक बम बनाने का फार्मूला रवि के पास था जो अब रवि के साथ उस प्रयोगशाला में जलकर राख हो चुका है और अब मेरे पास उस बम का फार्मूला कहाँ से आया, मैं उनसे यह कहना चाहता था कि बम जैसा कुछ बना ही नहीं था, हम तो चोर थे। यह दरोगाजी आपको भी पता है, लेकिन रवि ने सारी चीजें उन विदेशियों को दिखा दी थी और अब उन विदेशियों ने दरोगा को उससे अवगत करा दिया था, अब यह झूठ नहीं चल सकता था इसलिये मैं इस बात पर चुप ही रहा, मेरी बात सुनकर वह

दरोगा जोर से बोला, हमें बेवकूफ समझ रहे हो तुम, जहाँ तक मेरी जानकारी की बात है, यह बम तुमने अपने दोस्त रवि को असिस्टैन्ट बनाकर खुद अपने दिमाग से बनाया है, अब तो फार्मूला जल गया तो क्या हुआ, तुम्हारा दिमाग तो तुम्हारे पास है ही, उससे ही एक और फार्मूला अभी लिख दो, सारी प्रॉब्लम साल्व हो जायेगी, अगर तुमने जल्दी यह नहीं लिखा तो जो क्राइम तुमने किया है, अगर मैंने तुम पर वही लगा दिये तब भी फाँसी होने से तुम्हें कोई नहीं बचा सकता, अब अपनी जान खुद ही क्यों लेना चाहते हो मेरे भाई। मैं उस महाभ्रष्ट दरोगे को कैसे समझा पाता कि ये जो महाविध्वंशक बम फार्मूला है इससे अगर यह बम बन गया तो उसका अंजाम क्या होगा, मैं उसे कैसे यह समझा पाता कि यह हथियार इस्तेमाल करने के लिए ही तैयार किये जाते हैं, अगर मैं उस दरोगा को यह समझाता तो वह मुझे पागल समझता, मुझसे चिढ़ जाता और पक्का यह समझ जाता कि वह बम फार्मूला मुझे याद है, लेकिन मैं उसे बताना नहीं चाहता हूँ और फिर वह मुझसे फार्मूला लिखवाने के लिये ज्यादा दबाब बनायेगा। तभी वह दरोगा चिल्लाकर बोला कि अब शराफत का समय खत्म हुआ, कान खोलकर सुन ले, तूने हमारा कहना नहीं माना तो अब तुम भुगतने के लिए तैयार हो जा, जरा हम भी तो देखें कि कैसे तू यह फार्मूला नहीं लिखता, अभी तेरी खाल खींचता हूँ साले, इतना कहकर उस दरोगा ने पास में खड़े विदेशियों को वहाँ से जाने के लिए कहा और बाहर से दो लम्बे-तगड़े जल्लाद जैसे दिखने वाले दो लोग मेरे सामने बुला लिये, मैंने देखा उन लोगों में से एक ने अपने हाथ में इलैक्ट्रॉनिक मशीन जैसी चीज पकड़ रखी थी, मैं इसे देखकर उठ गया था, वह दरोगा अपनी लाल-लाल आँखें मेरी तरफ को दिखा-दिखाकर मुझे गन्दी-गन्दी गालियाँ दे रहा था, मैं बस चुपचाप उसकी गालियाँ सुन रहा था, मैं सोच रहा था ये लोग मुझे मारेंगे जरूर, मैं यह सब सोच ही रहा था कि तभी उन दो लोगों ने उस दरोगा के इशारे पर मुझे दोनों टाँगों से बाँधकर उल्टा लटका दिया और तलुओं पर पेट्रोल डालकर तब तक वे लोग लाठियाँ मारते रहे जब तक की खाल न उधड़ी हो, मैं दर्द से चिल्ला रहा था, वह दर्द किसी को बयाँ करना असम्भव था, मार खाकर शरीर सुन्न हो चुका था, मुँह

से लार टपक रही थी, इतने में उन तीनों में से एक आदमी उस इलेक्ट्रॉनिक मशीनख्रजैसी चीज को उठाकर मेरे पास लाये और उसने दो तार मेरे दोनों कानों पर लगाकर मशीन का हरा बटन दबा दिया, तभी एकाएक मेरा शरीर रस्सियों से बंधा होने के बाद भी जोर से उछला, ऐसा एहसास था मानो किसी ने आपका दिमाग फाड़ दिया हो, मैं कुछ देर पहले इस मशीन को समझ नहीं पाया था लेकिन अब मुझे यह अच्छी तरह एहसास हो गया था कि यह मशीन किसी इंसान को करंट लगाकर प्रताड़ित करने के लिये है, मुझे प्रताड़ित करने के बाद वह दरोगा मेरे पास आया और बोला– बताइये लिखेंगे आप वह फार्मूला? मेरे मुँह से खून आने लगा था, पूरे शरीर पर घाव बन गये थे, मैं बोलने की कोशिश कर रहा था लेकिन मुँह से कुछ निकल नहीं रहा था, आँखें तिलमिला रहीं थीं, मुझे बेहोशी हालत में देखकर वह दरोगा मुझे खोलकर उसी कमरे में बंद कर अपने उन साथियों के साथ वहाँ से चला गया, मैं उस कमरे के ठंडे फर्श पर पड़ा काँप रहा था, हाथ–पैर हिल तक नहीं रहे थे, आज मैं बिल्कुल अकेला हूँ, मेरे उस भगवान के अलावा कोई नहीं है इस धरती पर, मैंने मेरे अपनों को खुद से दूर कर दिया, दोस्तों को दुश्मन बना लिया, मैंने मेरे अपनों का इतना दिल दुखाया कि आज मैं उन्हें अपना मुँह तक नहीं दिखा सकता और आज मैं सच्चाई के साथ हूँ तो उसकी कीमत ये खूब मुझे मिल रही है, इनका कसूर नहीं, दरअसल इन मतलबी इंसानों ने इस धरती में इतने स्वार्थ के बीज बो दिये तो फसल भी वैसी ही होगी, मेरी बात यहाँ कौन सुनने वाला था, कैसी अजीब विडम्बना थी कि इंसान अपने स्वार्थ में इतना अंधा हो गया कि उसे अपने सामने खड़ी उसकी मौत तक दिखाई नहीं दे रही है, मैं पड़ा कराह रहा था, दर्द बढ़ता जा रहा था, वह दरोगा मुझे ऐसे ही छोड़ने वाला नहीं था, मुझे पूरा विश्वास था कि जब तक मैं उस फार्मूले को लिखकर उन विदेशियों को नहीं दे देता वह मुझे इसी तरह मारता रहेगा, क्या करूँ कुछ समझ में नहीं आता, यही सोचते–सोचते अगली सुबह हो गयी थी, शरीर बेजान जैसा हो चुका था, मैं बेहोशी–जैसी हालत में पड़ा था, मैंने देखा–मेरी आँखों का नजारा बदल गया, मेरे

सामने वह दरोगा अपने दो साथियों के साथ वहाँ आकर खड़ा हो गया और एक बार फिर वही अपने दिल की मनशा कहते हुये वह दरोगा बोला, फिर क्या सोचा आपने, अभी वह फार्मूला लिखेंगे या पूरी फिल्म देखना चाहेंगे, जल्दी बताइये। मैं उस दरोगा की बातें सुनकर रोने लगा, उसके पैरों में पड़कर गिड़गिड़ाने लगा, उसे हर वास्ता देने लगा कि वह मुझे इस तरह से और न प्रताड़ित करे, मैंने जो भी गुनाह किया है उसकी सजा देने के लिये मुझे जेल भेज दे लेकिन अब यह दर्द और बर्दाश्त नहीं होता, मेरे इस रोने-गिड़गिड़ाने का उस पत्थरदिल दरोगा पर कोई असर न पड़ा, वह दूसरे के दर्द को कैसे जान सकता है जिसका अपना दिल पत्थर का हो? वह दरोगा मुझे जान से मारना नहीं चाहता था इसलिये वह मुझे कभी-कभार खाने को रोटी भी भेजता था, कई दिन बीत गये, उस दरोगा का मुझे प्रताड़ित करना अभी भी जारी था, वह रोज नये-नये तरीकों से मुझे दर्द देता था, वह रोज मुझसे उस फार्मूले को लिखने की कोशिश करता था, अब मैंने देखा रोज अलग-अलग देशों के लोग (देशी-विदेशी) मुझे नोटों का लालच देकर वह फार्मूले पाने की कोशिश करते थे, पहले तो वे लोग सीधे स्वभाव से मुझसे डील करना चाहते, लेकिन मैं जैसे ही उनसे साफ-साफ मना करता वे खिन्न हो जाते और फिर वह दरोगा अपने साथियों के साथ मिलकर मुझ पर अपना गुस्सा उतारता, शरीर के घाव अब पकने लगे थे, रवि ने जो घाव मुझे दिया था वह अब तक सड़ने लगा था, मौत को मैं बस कुछ समय और चकमा दे सकता था, दर्द झेलना अब मेरे बस की बात नहीं रह गई थी, मैं सोचने लगा कि अगर किसी दिन मैं दर्द बर्दाश्त न कर सका और यह फार्मूला मैंने उन्हें बता दिया तो फिर क्या होगा, यह बहुत बड़ा झंझट था और यह झंझट तब तक रहता जब तक मेरे शरीर में प्राण थे, शरीर मुर्दा होने पर फिर वे किस पर अपना जोर चलाते, किससे वे फार्मूला लिखाते, एक मृत शरीर भला किस काम का रहता, मुझे अभी कुछ सोचना था, मुझे अपने शरीर से प्राण अलग करने थे, अपनी जान देने के अलावा अब मेरे पास कोई रास्ता नहीं था, मैं जिस कमरे में बंद था उस कमरे की एक दीवार से होते हुये बिजली के दो तार जा रहे थे, मैंने सोचा कि इन दो तारों में एक करंट तथा एक अर्थ का होगा

इसलिये मुझे एक ही टाईम में दोनों तारों को पकड़ना होगा, अगर एक तार पकड़ा तब करंट मुझे फेंक सकता है और मैं बच सकता हूँ इसलिये दोनों तारों को एक साथ पकड़ना जरूरी है, मैंने देखा उन दोनों तारों पर प्लास्टिक चढ़ी थी, मैंने जल्दी-जल्दी एक लकड़ी की मदद से उन तारों पर लगी प्लास्टिक हटाई जिससे वे दोनों साफ हो गईं, मैं सोच रहा था कि कहीं मेरे आत्महत्या करने से पहले कोई आ न जाये, आज कैसा विकृत समय मुझे देखना पड़ रहा था भगवान, कैसे लोग हैं इस धरती के जिन्हें सिर्फ अपना फायदा नजर आता है चाहे इसके लिये किसी की जान ही क्यों न चली जाये, मैं अब आपके पास आ रहा हूँ भगवान, मैं आपसे पूछूँगा कि आपने मुझे ऐसी मतलबी दुनिया में क्यों पैदा कर दिया, या तो मैं इस दुनिया में पैदा न होता या यह दुनिया इतनी निर्दयी न होती, मुझे अपने पास बुला लो भगवान, मैं आ रहा हूँ, मैंने तुरन्त अपने दोनों हाथों से वह तारें पकड़ ली और एक बहुत जोर का झटका लगा। जिन्दगी इतनी बेशर्म थी अभी मेरा पीछा छोड़ना कहाँ चाहती थी, बिजली का करंट खाकर भी मैं मरा नहीं था, गम्भीर रूप से घायल था, मुझे घायल अवस्था में देखकर उस दरोगा ने मुझे जेल के अस्पताल वार्ड में पहुंचा दिया था, जल्द मैं होश में आया, उस जेल के अस्पताल वार्ड में मेरा काफी इलाज चला, शरीर के जख्म तो धीरे-धीरे ठीक हो रहे थे लेकिन दिल के जख्म बढ़ते जा रहे थे, उस दरोगा ने मुझ पर हत्या के साथ-साथ कई केस लगाये, केस न्यायालय में शुरू हो गये, मैं जेल में था, मुझे छुड़ाने वाला या मुझे जमानत देने वाला इस दुनिया में कोई नहीं था, मुझसे अब कोई पूछताछ नहीं की जाती थी बस कभी-कभार कुछ सरकारी लोग आकर वही पुरानी बातें किया करते कि तुम्हारे पास अभी भी वक्त है कि वह फार्मूला देकर तुम अब भी साफ-साफ बच जाओगे और हम आखिर हैं भी तो एक देश के। मैंने उनसे कहा कि क्या विदेशी इंसान नहीं है, उन्हें दर्द नहीं होता है, यह धरती हमारी माता है और हम सब इसकी संतानें हैं, तब फिर हमारा आपस में क्या रिश्ता हुआ जरा बताइये, इस महाविध्वंशक हथियार से फिर हम क्यों अपने भाई-बहन को मारने पर

तुले हुये हैं। हम उस अन्धे की तरह हो गये हैं जो जब तक खाई में गिर नहीं जाता, चलता रहेगा। समय कटना भारी लग रहा था, सुबह के लगभग 10 बजे थे, तभी जेल के एक कर्मचारी ने मुझे बताया कि तेरी माँ तुझसे मिलने को आयी है, यह सुनकर मुझे बड़ी खुशी मिली, लेकिन मेरे कर्म ऐसे नहीं थे कि मैं माँ से नजरें मिला पाता, माँ मुझे पहले की तरह चाहती थी और मुझे देखने की लालसा लेकर मुझसे मिलने आयी है, मुझे अपने लिये नहीं लेकिन माँ के लिए उससे मिलना होगा, मैंने माँ को देखा, उनका चेहरा झुर्रियों में सिमट गया था, सदमों से उसकी कमर टूट गयी थी, माँ मुझे देखकर रोने लगी, लेकिन मैं अपने कुकृत्यों की वजह के कारण माँ से बोल भी नहीं पा रहा था, माँ को यहाँ लाने के पीछे केवल मैं ही जिम्मेदार था, लेकिन माँ तो माँ ही होती है, वह अब तक मेरे सारे कुकृत्य भूल चुकी थी। माँ ने रोते हुये कहा–तुझे यह क्या हो गया है मेरे लाल, तूने यह क्या कर डाला, तू तो कहता था कि मैं अपने देश क्या पूरी दुनिया के भले के लिये काम करूँगा, लेकिन तुझे तो लोग देशद्रोही और हत्यारा कह रहे हैं बेटा। मैंने माँ को धीरज बँधाते हुये कहा, माँ मैंने सबके भले के बारे में ही सोचा, अगर बुरा सोचता तब शायद यहाँ नहीं होता। मेरी बात सुनकर माँ ने कहा कि बेटा तुझे मेरी और अपनी उन दोनों बहनों की जिनके लिये तू जीता था, अब हम सबको तूने फुटपाथ पर मरने को छोड़ा न जीने को, तू इन सरकारी लोगों को जो ये माँग रहे हैं देकर यह सब खत्म क्यों नहीं करता बेटा, जो ये लोग चाहते हैं, वह इन्हें देकर सबकुछ खत्म ही हो जायेगा। माँ तू बहुत भोली है माँ, यह सब नहीं समझेगी कि यह दुनिया कितनी मतलबी हो चुकी है जिसे केवल अपना स्वार्थ ही दिखाई देता है। यहाँ कोई यह समझने को तैयार नहीं है कि महाविध्वंशक हथियार विनाश के सिवा कुछ न कर पायेगा, इन घातक हथियारों को तुरंत नष्ट कर देना चाहिए, ऐसा कहने वालों को यह दुनिया बेवकूफ समझती है, पागल समझती है। जैसा आज मेरे साथ हो रहा है, जैसा यह मैंने किया किसी को रास नहीं आया, लोगों ने मुझे देशद्रोही घोषित कर दिया, इससे जाहिर है कि हम धमाके पसंद करने लगे हैं,

शांति की भावना महज एक दिखावा है। मेरी बात सुनकर वह फूट–फूटकर रोने लगी। मैंने माँ को धीरज बँधाते हुये कहा, मेरे जेल से जिन्दगी भी छूटना सम्भव नहीं है माँ क्योंकि मैं जीते–जी उन लोगों का प्रस्ताव नहीं मानूँगा। मैंने हमेशा सबका बहुत दिल दुखाया है, अब तू मुझे बहुत बुरा समझकर भूल जाना माँ, मैं बुरा हूँ, बहुत बुरा, इस दुनिया का कलंक, और हो सके तो अब कभी भी मुझसे मिलने मत आना माँ नहीं तो तुम सबकी यादें मुझे पागल बना देंगी, मैं माँ से बात कर ही रहा था तभी जेल के एक कर्मचारी ने मेरे पास आकर माँ से कहा कि मुलाकात का समय समाप्त हो गया है, जाइये, उस कर्मचारी की बात सुनकर माँ वहाँ से जाने लगी, दिल तड़प रहा था, मैं सोच रहा था कि काश मैं माँ के साथ अभी घर को चला जाता लेकिन दिमाग में तमाम मासूमों की तस्वीरें चल रही थीं कि यहाँ से जाने का मतलब इन लोगों से समझौता और उस समझौते का परिणाम लाखों–करोड़ों की जिन्दगी तबाह, पूरी दुनिया एक महाविध्वंशक फायर अटैक बम की चपेट में, मैं इतना स्वार्थी तो नहीं हो सकता, इतनी दूर आकर मैं वापस नहीं लौट सकता, मैं अमर नहीं हूँ, आज नहीं तो कल मरना ही है, तो क्यों न किसी अच्छे काम को करके मरूँ, यह दुनिया मुझे नहीं समझेगी लेकिन वह परमपिता परमेश्वर तो सब कुछ जानते ही हैं, मैं ऐसा काम करूँ जिससे भगवान को तो मुँह दिखा सकूँ, मैं उन मासूमों पर अत्याचार करने के बारे में सोच ही नहीं सकता था, मेरे अकेले की जान उन लाखों–करोड़ों मासूमों की जान से ज्यादा कीमती नहीं थी, आखिर उन मासूमों ने मेरा क्या बिगाड़ा था। आखिर यह सब विनाश होता तब इसका जिम्मेदार तो केवल मैं ही होता, नहीं–नहीं मैं इतना नहीं गिर सकता।

दिन बीतने लगे, उन लोगों ने मुझ पर कई मुकदमे चलाये जिनमें हत्या और देशद्रोह का आरोप मुख्य था, उन लोगों ने बड़ी तेजी से मुकदमा मुझपर चलाया और जल्द ही फैसला भी हो गया, मैं भगवान से प्रार्थना कर रहा था कि हे भगवान कहीं ऐसा न हो कि फिर से मुझ पर कोई थर्ड डिग्री का इस्तेमाल कर मुझसे वह फार्मूला जान ही लें क्योंकि मेरे शरीर में अब थोड़ी–सी भी मार बरदाश्त करने की क्षमता

नहीं रह गई थी, मेरा शरीर सुख कर मात्र एक ढाँचा हो गया था इसलिये अब मेरा जल्द से जल्द फाँसी पर लटक जाना ही बेहतर होगा, उस परमपिता परमेशवर ने मेरी पुकार सुनी हो या न सुनी हो, लेकिन इन मतलबी इंसानों ने अच्छी तरह सुन ली थी, मेरे लिये इन इंसानों ने फाँसी की सजा तय कर दी क्योंकि मैंने जो अपराध किया था उसकी सजा इससे कम नहीं हो सकती थी, मुझे उन लोगों से कोई शिकायत नहीं थी, मुझे जिन्दगी से डर लगने लगा था, मैं बिना मौत को गले लगाये इस झंझट से नहीं छूट सकता था, मुझे जेल के कर्मचारी ने बताया कि तुम अपना प्रार्थना-पत्र राष्ट्रपति जी को लिखकर अपनी मौत की सजा को उम्रकैद में बदलवा सकते हो, लेकिन जीना कौन कमबख्त चाहता था, मुझे जिन्दगी बहुत भयानक लग रही थी। इस तरह मैंने उस पत्रिका की लेखिका को अपने दिल की सारी बात बता दी, मैं अपनी बात उस लेखिका को बताकर सोच रहा था कि शायद यह लेखिका मेरे लिये कुछ नहीं तो कम से कम सहानुभूति तो प्रकट करेगी, मेरी बात को समझेगी, शायद एक बार यह मेरी तारीफ ही कर दे, लेकिन वह भी तो इसी समाज का हिस्सा थी, जिस समाज ने आज मुझे फाँसी पर लटकाने का इंतजाम कर लिया था। वह लेखिका मेरे पास से अपनी देशद्रोह की कहानी पूरी करके जाने लगी और जाते-जाते मेरी ओर घूरते हुये बोली कि वाकई तुम्हारे जैसा बेवकूफ शायद ही इस दुनिया में कोई होगा, इतना अच्छा मौका तुमने गवाँ दिया, तुम्हारे जैसे नालायक का यही अंजाम होना चाहिए, बल्कि फाँसी से बढ़कर भी कोई सजा होती तब वह तुम्हें दी जानी चाहिए थी, भाड़ में जाओ, इतना कहकर वह लेखिका वहाँ से चली गयी, मैं उस लेखिका की बात सुनकर सोचने लगा कि उस लेखिका को अपनी कहानी से मतलब था, मेरे दर्द, मेरी सच्चाई से उसे कोई लेना-देना नहीं था, लेखिका को गये दो दिन बीत गये और आज वह दिन भी आ गया, जिस दिन मुझे अपने किये अपराधों की सजा मिलनी थी, आज मुझे रोज-रोज के मरने से एक बार मरकर आजादी मिलने वाली थी, जिन्दगी इस मानव निर्मित नर्क से छूटने वाली थी, भगवान ने मेरी प्रार्थना आखिरकार सुन ही ली, मैं सोच रहा था कि

किसी ने अगर उस महाविध्वंशक हथियार बनाने का फार्मूला मुझसे जबरदस्ती लिखवा लिया तब क्या होगा, लेकिन अब कुछ ही देर में यह शरीर मुर्दा होने वाला था और फिर मुर्दा भला किसी को क्या बतायेगा, कौन पूछेगा मृत शरीर से। उस महाविध्वंशक फायर अटैक बम बनाने की नादानी में मैंने लाखों-करोड़ों की जिन्दगी दाँव पर लगा दी थी लेकिन आज मौत के मुँह में जाने पर भी मुझे तसल्ली इस बात की है कि समय रहते मुझे मेरी नादानी का एहसास हो गया और उन मासूमों की जिन्दगी बच गयी। थोड़ा अफसोस बस इसी बात का है कि मैंने अपना महाविध्वंशक फायर अटैक बम नष्ट कर दिया, लेकिन इस दुनिया में उस जैसे पता नहीं कितने महाविध्वंशक हथियार अभी बाकी हैं, जिन्हें पूरी तरह समाप्त करना नितान्त आवश्यक है। जब तक यह हथियार समाप्त नहीं हो जाते, हमारी जिन्दगियों पर खतरा यूँ ही मँडराता रहेगा, मन यही सोचकर अशांत है कि मैं उन हथियारों को भी समाप्त कर पाता, जो मानव जाति के काल हैं, उन हथियारों के लिये मैं इस जन्म में तो कुछ न कर सका लेकिन भगवान ने अगर अगले जन्म में इस धरती पर पैदा किया तब ये काम जरूर पूरा कर दूँगा। तभी जेल के कुछ अधिकारी मेरे पास आये और इस शरीर से आजाद करने के लिये मुझे अपने साथ ले जाने लगे, मैं चुप था, बोलता भी तो क्या, मेरी सुनने वाला कौन था, जेल के उन अधिकारियों ने बड़ी मेहनत और ईमानदारी के साथ मुझ जैसे गुनेहगार की भले लोगों की दुनिया से खत्म करने की पूरी तैयारी कर ली और आखिरकार मुझे उन लोगों ने फाँसी के तख्ते पर चढ़ाकर मुझे मेरे अंजाम तक पहुँचा दिया।